U0852755

菜根谭

〔明〕洪应明 著
郭瑞祥 注译 赏析

岳麓書社·长沙

序　言

俗话说“开卷有益”。有些书增长知识，有些书开发智力，有些书学习人情世故，有些书增加审美情趣。有些书从小事上见宏旨，有些书在大事中明得失。有些书嬉笑怒骂举重若轻，有些书冷峻深邃拨云见雾。

《菜根谭》是一本“无用”的书。人们吃青菜，多吃其叶、茎、花和果实，唯独菜根粗粝难食，没有用处。本书取名“菜根”，就含有无用之意。读这本书，既不能学到营生的本领，也不能学到制作的技能，是以无用。《庄子》中记载，惠子对庄子说：“我有一棵樗树，其干结满肿瘤凹凸不平，其枝卷曲扭结纤细不壮，做不了家具，盖不成房屋，一无所用，连木匠都不会多看它一眼。您的言论也像这棵树一样，宏大却没有用途。”庄子说：“为什么不把这棵树栽在旷野中，人们可以无拘无束、悠闲自在地在树下高卧而眠？正因为大树无用，才可以逍遥适性，荫庇众生。”

无用的书同无用的树一样，它对人的影响是潜移默化的。无用之书读得多了，人的气质、眼界、胸怀和情感都会发生变化，这种变化是超越任何实用价值的。《菜根谭》讲修身养性，虽然无用，却有营养。“此身常放在闲处，荣辱得失，谁能差遣我？此心常安在静中，是非利害，谁能瞒昧我？”这样的句子仔细品味，性情中尽是通透。

《菜根谭》又是一本有厚度的书。其乾隆三十三年版序言中说："菜之为物，日月所不可少，以其有味也。但味由根发，故凡种菜者必要厚培其根，其味乃厚。"《菜根谭》对于人生的思考，决不像那些心灵鸡汤一样，肤浅而流于表面。它思考的是人生的终极问题，人为什么而活，应该怎样活。它不讲冠冕堂皇的大道理，只辩证地叙述因果和感悟，因此显得入理入心。如"节义傲青云，文章高白雪，若不以德性陶熔之，终为血气之私、技能之末"。短短二十八字，即将节义、文章、品德这几层关系揭示得入木三分。而节义、文章、品德都是人生中最受重视的大问题。如果说这是价值观范畴的话，那么"谢事当谢于正盛之时，居身宜居于独后之地，谨德须谨于至微之事，施恩务施于不报之人"又是一篇方法论。其他对荣誉、名声、富贵、权势、学问、如何面对困难、如何与人交往等问题多有论述，都如洪钟大吕，振聋发聩。

《菜根谭》还是一本有苦味的书。明代于孔兼《菜根谭题词》说："谭以菜根名，固自清苦历练中来，亦自栽培灌溉里得，其颠顿风波，备尝险阻可想矣。"这本书教人历练，教人成长，教人放下，教人无欲无为，都包含着刻苦、辛苦、贫苦、困苦、痛苦等诸般苦味。由甜入苦，由苦入淡，是人生了悟的轨迹。"功夫自难处做去，如逆风鼓棹，才是一段真精神；学问自苦中得来，似披沙获金，才是一个真消息。"是说要忍受坚忍之苦。"磨砺当如百炼之金，急就者非邃养；施为宜似千钧之弩，轻发者无宏功。"是说要忍受锤炼之苦。"淡泊之守，须从浓艳场中试来；镇定之操，还向纷纭境上勘过。"是说要忍受清贫之苦。“栖守道德者，寂寞一时；依阿权势者，凄凉万古。”是说要忍受寂寞之苦。苦是人生历练的过程，忍受住世俗难耐之苦，最后是淡淡的香味。“性定菜根香”，静下心来，慢慢品味，清苦之中自能体会出随性适志的欢愉。“心地上无风涛，随在皆青山绿树；性天中有化育，触处都鱼跃鸢飞。”那样一种人生境界，只有勘破、了悟才能达到。

《菜根谭》还是一本有温度的书。宋代朱熹说：“某观今人因不能咬菜根，而至于违其本心者众矣，可不戒哉！”《菜根谭》如长者娓娓道来，不急不躁，不温不火，不刻板说教，不嬉谑轻蔑，教人咬得菜根，找回本心。“蛾扑火，火焦蛾，莫谓祸生无本；果种花，花结果，须知福至有因。”以蛾、火、果、花比喻人生祸福，形象贴切，容易被人接受。“士君子之涉世，于人不可轻为喜怒，喜怒轻，则心腹肝胆皆为人所窥；于物不可重为爱憎，爱憎重，则意气精神悉为物所制。”不说“豪言壮语”，不求完美无缺，教君子如何处世，而不是片面追求“高大全”，字里行间充满了人情味。“宠辱不惊，闲看庭前花开花落；去留无意，漫随天外云卷云舒。”深邃的哲理，隽永的语句，诗一般的意境，如沐春风，如享美景。

人咬得菜根，则百事可做。归根结底，《菜根谭》是一本教人智慧、有益身心的书。我们身处纷繁复杂的社会之中，时刻面临着钱财、权势、名誉的考验，难免心情浮躁，顺境时得意忘形，逆境中心灰意冷，浮华时目空一切，困厄时怨天尤人。《菜根谭》教人为人处世，读之心情平和，安之若素。“忙处事为，常向闲中先检点，过举自稀；动时念想，预从静里密操持，非心自息。”忙忙碌碌一天之后，清点和整理自己，减少错误和过失，心情自然归于平静。“粪虫至秽变为蝉，而饮露于秋风；腐草无光化为萤，而耀采于夏月。故知洁常自污出，明每从暗生也。”置身世俗之污浊，心烦意乱，是逃避，还是迎合，三言两语让你豁然开朗。“耳目见闻为外贼，情欲意识为内贼。只是主人公惺惺不昧，独坐中堂，贼便化为家人矣。”读这一段，能帮你坚定信念，抵御诱惑。“鸟语虫声，总是传心之诀；花英草色，无非见道之文。学者要天机清彻，胸次玲珑，触物皆有会心处。”触物会心，皆有所得，观天地、山川、草木、虫鱼、鸟兽，处处留心都是玄机。人生最可贵的是率性自然，保守天性本真，真正的智者不屑于矫饰性情，机心巧诈。

这本书取名“菜根”，就是要人抱朴守拙，淡泊物欲，畅享天机。

《菜根谭》作者洪应明，字自诚，号还初道人，大约生活在明万历年间。

洪应明早年为求取功名，寄居在明代留都应天府（今江苏南京）。然而其仕途不顺，屡遭坎坷，遂看破红尘，游历于江南各地，与嘉善人袁黄、高邮人冯梦祯、金坛（今江苏镇江）人于孔兼交善。袁、冯、于等都是淡泊之士，洪应明更是寄情山水，慕仙好佛。这期间，他作《仙佛奇踪》，叙述神仙六十三人、佛教弟子六十一人，可谓仙佛传记。《仙佛奇踪》已经失传，仅《四库全书》留有目录。

《仙佛奇踪》成书后，洪应明专心作《菜根谭》。《菜根谭》借鉴他一生成败正反两方面事例，汇聚其大半生人生智慧，可谓心血之作。

《菜根谭》是一本格言体小品。格言体可以追溯到《道德经》《论语》。小品文也脱胎于先秦诸子，盛行于明清。如果说散文、小说是大树，《菜根谭》犹如一片草原，其中的每一段格言是散落在草原上星星点点的小花，红黄白紫，不拘一格。这些格言语句精致，格调清新，骈散结合，表现闲情逸致和庄禅幽尚，所以又被称为“清言体”。

《菜根谭》集儒释道思想于一体，蕴含着丰富的哲理，加上优美的语言，问世之后就受到追捧。由于书中各个条目内容之间没有紧密的逻辑联系，因此格局开放包容，后人陆续往里面增添、补充内容，形成了流传于后世的多个不同版本。明代版本中，将《菜根谭》分为前集、后集两大部分。清代版本中，将《菜根谭》分为修省、应酬、评议、闲适和概论五个部分。《菜根谭》流传到日本后，也形成十几种版本，它对日本的影响一直持续到现代，被有些企业奉为经典管理书籍。

考虑到清朝刻本比较方便阅读，此版《菜根谭》以清乾隆三十三年常州天宁寺沙门清镕重校刻本为蓝本，参校其他版本编纂而成。精选三百余条加以注释、翻译和赏析，用生动的语言和贴切的事例，帮助读者开拓思路、理解原文、领悟内涵。

诗意语言，诠释五千年文化内涵；直抵内心，感悟儒释道人生智慧。愿所有读者天机清彻，胸次玲珑，咬得菜根，如沐春风。

目　录

第一卷　修省

一

欲做精金美玉[①]的人品，定从烈火中煅[②]来；思立掀天揭地[③]的事功[④]，须向薄冰上履过[⑤]。

【翻译】

要想成就精金美玉的人品，一定要经受烈火般的历练；要想做出翻天覆地的功业，必须历经如履薄冰般的艰辛。

【赏析】

人生是一棵生长的树，总要守一次花开，叫修行自己，结一枝硕果，叫造福社会。

修行自己，就是要有精金美玉的人品。君子经历常人意想不到的艰辛和无法忍受的痛苦，才会变得坚贞如金，温润如玉。孔子奔走列国，累累若丧家之犬，方成就圣人的思想光辉；范仲淹划粥断齑，无时不忧国忧民，终成为官员的道德典范。

造福社会，就是要立惊天动地的功业。伟大的事业起自跬步，需要坚忍不拔地克服每一个困难，小心谨慎地做好每一个细节。没有人天生伟大，少一些怨艾，多一些忍耐，少一些傲慢，多一些敬畏，人生终会圆满。

---

① 精金美玉：比喻人品没有瑕疵。
② 煅：冶炼。
③ 掀天揭地：即翻天覆地，比喻功绩大。
④ 事功：功绩、功业。
⑤ 履过：走过。

二

一念错，便觉百行[1]皆非，防之当如渡海浮囊[2]，勿容一针之罅漏[3]；万善全，始得一生无愧，修[4]之当如凌云宝树[5]，须假[6]众木以撑持。

【翻译】

一个想法错误，便会觉得一切行为都有过失，防范错误应当像渡海用的救生气囊一样，不允许有针眼大的漏洞；所有好事都做，才能一生没有愧疚，修养德行应当如佛经中的凌云宝树，必须凭借众多树木来支撑。

【赏析】

积善不易，做一辈子好事更难；行恶却很简单，一个闪念，走过去便是悬崖绝壁。

勿以恶小而为之，勿以善小而不为。邪恶就像一枚钢针，只要在气囊上扎出一个小孔，人生就将坠入深渊，万劫不复。要通过修行，修缮心灵的缺漏，让恶念无隙可乘，才能完成人生的泅渡。

修行如此，做工作、干事业也是如此。千里之堤，毁于

---

① 百行：所有的行为，所做的任何事情。

② 渡海浮囊：使人浮在水面上的气囊。

③ 罅（xià）漏：裂缝和漏洞。

④ 修：修行，指修养德行。

⑤ 宝树：佛教中用纯金、美玉等宝物合成的树木。

⑥ 假：凭借、利用。

蚁穴。只有防微杜渐，查漏补缺，积善成德，才能在心中培育出凌云宝树。

三

忙处事为[①]，常向闲中先检点，过举[②]自稀；动时念想，预从静里密操持[③]，非心[④]自息。

【翻译】

忙碌时的所作所为，时常在闲暇时先审视检察，错误的举措自然会减少；行动时的所思所想，预先在安静时仔细筹划料理，不当的想法自然会消失。

【赏析】

磨刀不误砍柴工，有时候闲暇和恬静，比忙碌更有意义。

闲暇和恬静，并不是无所事事，或者逃避、放弃，而是超然物外，横看成岭侧成峰，换一个角度看世界，不让迷雾遮住自己的慧眼。

纷繁复杂的社会，常常让人处于焦虑、抑郁和无助之中。付诸努力，却得不到认可；工作中找不到思路，事到临头不知所措；在随波逐流中渐渐失去自我。所以，做事更需要有

① 事为：犹言为事、做事。
② 过举：错误的举措。
③ 操持：筹划、料理。
④ 非心：不恰当的想法。

一份闲暇和恬静，才会举重若轻，事半功倍。

四

为善而欲自高[1]胜人，施恩而欲要名[2]结好，修业[3]而欲惊世骇俗，植节[4]而欲标异见奇，此皆是善念中戈矛、理路[5]上荆棘，最易夹带、最难拔除者也。须是涤尽渣滓，斩绝萌芽，才见本来真体[6]。

【翻译】

做善事自以为品德高尚、胜人一筹，施恩惠是为了得到名声、缔结友好，立功业想要引起轰动、引人注目，树立节操希望标榜新奇、与众不同，这些都是善念中的戈矛，思想上的荆棘，最容易夹带、最难去除掉。一定要清理干净杂念，斩断根除萌芽，才能看见善念的真实面目。

【赏析】

鲜花盛开，蝴蝶自来。其实鲜花的绽放源于时节，与蝴蝶无关，与功利无关。

善念犹如花开，自带清香，不是为了招蜂引蝶。如果动

---

① 自高：抬高自己，胜人一筹。
② 要名：得到名声。
③ 修业：原指研读书籍，后多指建立功业。
④ 植节：树立节操。
⑤ 理路：思路、想法。
⑥ 真体：真实的本体，真实面目。

机不纯，要么贬低了自己，要么损害了别人。一些富人资助贫者，在媒体上曝光孩子的照片，践踏别人的尊严，换来自己的虚名，这不是真善，而是伪善。

善与恶之间，隔着一层机心。它是虚伪，是自私，是欺世盗名，是别有所图。它是行善路上的戈矛和荆棘，善良和邪恶因之握手“言和”。

质本洁来还洁去，行善的最高境界是归于平常，让它变成生活的习惯，变成一日三餐。

五

能轻富贵，不能轻一轻①富贵之心；能重名义②，又复重一重名义之念。是事境③之尘氛④未扫，而心境⑤之芥蒂⑥未忘。此处拔除不净，恐石去而草复生矣。

【翻译】

能够看轻富贵，却没有放下那看轻富贵的心思；能够重视名义，却又在意那重视名义的念头。这是因为事境尘俗没有打扫，内心的芥蒂没有忘却。这些不清除干净，恐怕搬走了石块，又长

---

① 轻一轻：轻，动词，看轻，不在意；一，量词，没有实际意义。前一个“轻”字的宾语是“一轻富贵之心”；后一个“轻”字的宾语是“富贵”。

② 名义：名声和道义。

③ 事境：事物所处的外部环境。

④ 尘氛：世俗的纷扰。

⑤ 心境：指内心的状况。

⑥ 芥蒂：细小的梗塞物，比喻郁积在心中的怨愤情绪。

出了荒草。

【赏析】

钱财多曰“富”，地位高曰“贵”，要以平常心对待富贵，得失随缘，顺其自然。淡泊富贵固然可敬，但如果把看轻富贵当作博取名利的资本，在本质上与贪慕富贵并无不同。

声誉重曰“名”，行为正曰“义”。一个人的名义，就像飞鸟的翅膀，离开它将寸步难行。如果一个人因为重视名义，就认为自己高人一等，他爱惜的不是翅膀，而是羽毛，无论多么光鲜，都经不起风吹雨打。

纯净的心灵应该云淡风轻，真正的放下是只在意对错，不关心得失。

六

纷扰固溺志[①]之场，而枯寂亦槁心[②]之地。故学者当栖心元默[③]，以宁吾真体；亦当适志[④]恬愉[⑤]，以养吾圆机[⑥]。

【翻译】

纷乱扰攘的环境固然能使意志沦丧，枯燥寂寞的地方也能让

① 溺志：使心志沉溺其中，即意志沦丧。
② 槁心：心绪沉寂，心力消沉。
③ 元默：沉静无为。
④ 适志：舒适自得。
⑤ 恬愉：快乐。
⑥ 圆机：这里指充沛的精力。

人心力消沉。所以研学之人应当栖养心绪、沉静无为，让本体保持安定；还应该怡然自得、舒适愉悦，从而保持充沛的精力。

【赏析】

繁杂纷扰让我们无所适从，只好随波逐流；枯寂冷漠让我们心如死水，找不到进取的力量。

世界太乱，世界很冷，我们需要划出一块领地，澄澈如水，宁静如风，在这里放牧心灵。做一个超凡脱俗的漫步者，做一个物我两忘的栖息者；随遇而安，随风而舞，与世界相融，与大自然心有灵犀。

做学问当如是，做人更应如是。人生是最大的学问，学会做人，学问焉能不精?

七

昨日之非不可留，留之则根烬[①]复萌，而尘情[②]终累[③]乎理趣[④]；今日之是[⑤]不可执[⑥]，执之则渣滓未化[⑦]，而理趣反转为欲根[⑧]。

---

① 烬：物体燃烧的残余。
② 尘情：凡俗的欲望。
③ 累：妨碍、伤害。
④ 理趣：思想情致。
⑤ 是：正确的事物或观念。
⑥ 执：固执、坚持。
⑦ 化：这里是消除的意思。
⑧ 欲根：欲望的本源。

【翻译】

昨天错误的观念不能留，如果保留，错误的余烬还会萌发，而凡心俗欲终将伤害思想情致；今天正确的观念也不能固执，如果固执，残余的渣滓难以消除，思想情致反而会转化为情欲的根源。

【赏析】

所谓斩断情根，就是告别过去的错误，往者不可谏，割断就是了断，了断方可无牵挂，翻开新的篇章。所谓得理饶人，就是着眼未来的行程，来者犹可追，放下才能轻装前进，心有多宽，路就有多宽。

昨天和今天，错误还是正确，讲的是道理，有道理的人生是品德人生。

过去和未来，与错误果断决绝，在对的时候懂得宽恕，要懂得变通，知变通方是情致人生。

品德与情致，如树木与花，荷叶与露，舞台与歌，欢宴与酒，相映成趣，二者兼有才是完美人生。

八

无事便思有闲杂念想否，有事便思有粗浮意气否；得意便思有骄矜[①]辞色否，失意便思有怨望[②]情怀否。时时检

---

① 骄矜：骄傲自负。

② 怨望：怨恼愤恨。

点，到得从多入少、从有入无处，才是学问的真消息[①]。

【翻译】

闲暇的时候要反思有没有乱七八糟的想法，忙碌的时候要反思有没有粗心浮躁的意念；得意的时候要反思有没有骄傲自负的言行，失意的时候要反思有没有怨恼愤恨的情绪。时刻检点自己，使这些不良习气从多到少、从有到无，才是做学问的真正关键。

【赏析】

同样是学习，成绩有好有差；同样是修身，悟道有深有浅。何也？除了天赋高下，更重要的就是有没有端正的态度和良好的习惯！

曾子曰："吾日三省吾身"，只有不断反思自己，才能成为有道德、有学问的君子。

反思自己，是因为每个人都有缺点：无所事事的时候胡思乱想，事务缠身的时候心浮气躁，春风得意的时候骄傲自负，挫折失意时又怨天尤人。真正的研学，要坦然面对纷繁复杂的环境，处变不惊，心如磐石，始终如一。

如果说成功有捷径，那就是控制自己的欲望，改变自己的态度，如此而已。

---

① 消息：又称机关，机械上的关键之处，泛指决定性的事物。

九

士人[①]有百折不回之真心，才有万变不穷[②]之妙用[③]。

【翻译】

读书人要有百折不回的真心，才能掌握万变不尽的奇妙技巧。

【赏析】

溪流走过曲曲折折的山路，接受千百次山石的撞击，翻山越岭，最终汇成滔滔河水，奔腾入海。

溪流的品格，在于执着。有执着之心，才能在面对困境时知难而进，面对挫折时不屈不挠，面对坎坷时愈战愈勇，面对失败时永不言弃。

司马迁受宫刑，忍辱负重，终于完成《史记》这部史学巨著；爱迪生经过数千次失败，矢志不渝，才有电灯照亮人间。

成功属于坚忍不拔之人，因为执着，所以专注，因为百折不回，所以万变不穷。

---

① 士人：读书人。

② 穷：穷尽。

③ 妙用：这里指奇妙的技巧。

一〇

非盘根错节，何以别[①]攻[②]木之利器；非贯石饮羽[③]，何以明射虎之精诚；非颠沛横逆[④]，何以验操守之坚定。

【翻译】

不是盘根错节，怎么能辨别伐木工具是不是锋利；不是箭没石中，怎么能知晓射虎是不是至诚；不是经受挫折，怎么能检验操守是不是坚定。

【赏析】

艰难困苦的环境，最能考验人的意志；眼花缭乱的诱惑，最能考验人的操守。

齐国富商对乞丐吆喝说："来，给你吃。"乞丐不卑不亢，不食嗟来之食，是谓气节。东汉县令王密向杨震行贿，说："没人知道。"杨震说："天知地知，你知我知。"是谓廉节。东晋大官吴隐之，厌恶奢华，女儿出嫁，把家里的狗卖掉置办物品，是谓俭节。西汉苏武出使匈奴，被扣留十九年，忠贞不渝，是谓忠节。安史之乱时，颜真卿被派往敌营晓谕叛将，凛然拒贼，终被缢杀，是谓死节……

沧海横流，方显英雄本色。只有经受住异乎寻常的考验，

---

① 别：辨别。

② 攻：加工。

③ 贯石饮羽：贯，射中、穿透；饮，隐没；羽，箭上的羽毛，借指箭。

④ 横逆：横祸、厄运。

才能感受到清香四溢的芳香。

一一

钟鼓体虚，为声闻[1]而招击撞；麋鹿性逸[2]，因豢养[3]而受羁縻[4]。可见名为招祸之本，欲乃散志之媒，学者不可不力为扫除也。

【翻译】

钟鼓体内是空的，因为声音洪亮而遭受敲打撞击；麋鹿天性爱奔跑，因为贪图喂养而被拘禁。可见名声是招致灾祸的根源，欲望是涣散心志的媒介，学者不能不努力扫除。

【赏析】

为了虚幻的名声而遭受击打，为了现成的食物而放弃自由，外人看来是因小失大、得不偿失，当事者却浑然不觉。因为被欲望遮住了眼睛，有的人便在日复一日的驯化中丧失了自我。

名声和欲望就像皇帝的新装，感觉很好，实际上虚幻而不可及。除了给自己带来屈辱和伤害，最终一无所获。

人生有更重要的东西值得去追求，譬如完美的人品，伟

---

① 声闻：本义是名声，这里指声音。

② 逸：奔跑。

③ 豢（huàn）养：喂养。

④ 羁縻（jī mí）：拘禁。

大的功业。名声和欲望跟它们虽相似，但实质上却差别甚大。不畏浮云遮望眼，抛开山路上的各种诱惑，克服攀爬的种种艰辛，才能达到人生的大境界，才能体会到“一览众山小”的雄奇和云蒸霞蔚的壮观。

一二

一念常惺[①]，才避去神弓鬼矢[②]；纤尘不染，方解开地网天罗。

【翻译】

只有头脑清醒，才能避开伤人的暗箭；心灵一尘不染，才能突破重重包围。

【赏析】

鸟儿在天空自由自在地飞翔，也许会意外遭受子弹；麋鹿在森林安逸欢畅地嬉戏，一不小心，会坠入猎人早已布下的陷阱。

在纷繁复杂的社会中，每个人都很渺小，像鸟儿和麋鹿一样，很可能猝不及防地受到伤害。我们能够做的，就是时刻保持警惕，克服各种欲望和诱惑，这样才能保护自己。毕竟鱼儿贪恋食饵，才会咬致命的鱼钩。

有太多人因为放松了警惕，在名声、地位、财富、女色

---

① 惺：清醒。

② 神弓鬼矢：指伤人的暗箭。

的围追堵截中身败名裂。以人为镜，可以明得失，得失只在一念之间，纤尘不染，自然百毒不侵。

一三

一点不忍[①]的念头，是生民生物之根芽；一段不为[②]的气节，是撑天撑地之柱石。故君子于一虫一蚁不忍伤残，一缕一丝勿容[③]贪冒[④]，便可为万物立命、天地立心[⑤]矣。

【翻译】

一点慈悲恻隐之心，是人民生存和万物生长的根苗；一段有所不为的操守，是顶天立地的柱石。所以君子对一只虫蚁都不忍伤害，于一根丝线都不许占为己有，这样就能够帮助万物顺利生长，在天地间树立一种精神。

【赏析】

古代读书人的理想，莫过于“为天地立心，为生民立命，为往圣继绝学，为万世开太平”。能够做到这些，可以称为圣人矣。

本段语录认为，做到“为万物立命，为天地立心”并不

---

① 忍：狠心、残酷。

② 不为：不做。这里指不贪财敛物。

③ 容：允许。

④ 贪冒：贪图财物。

⑤ 立命、立心：立命原指精神有所寄托，这里指顺利生长；立心指建立起一套价值体系，即树立一种精神。

难：一是要有悲天悯人的爱心，二是要有不贪不占的操守，如此而已。

那么究竟难不难？《论语》数百条，归纳起来，不过一个“仁”字，真正做到的有几人？佛经千卷万册，整理起来，无非一个“空”字，能够看透的有几人？道教千言万语，也只是“无为”而已，然而放得下的又有几人？

播撒自己的爱心，克制自己的欲望，圣人所为，有此两样足矣。

一四

拨开世上尘氛[1]，胸中自无火焰冰兢[2]；消却心中鄙吝[3]，眼前时有月到风来。

【翻译】

抛开世俗的纷扰，心中自然没有如火烧般焦灼，也没有履冰般恐惧；消除心中鄙俗的念头，眼前就像置身于明月清风一样。

【赏析】

大自然最慷慨的馈赠，莫过于清风明月。我们坐清风之中，揽明月入怀，天地纯净，万物疏淡，时光静静地流逝，仿佛听得见它浅浅的脚步声。此刻生命清澈如洗，照得见来

① 尘氛：世俗的纷扰。
② 冰兢：恐惧、谨慎。
③ 鄙吝：鄙俗。

生，看得清永恒。

清风触手可及，明月抬头可见，且取之不尽，用之不竭。但并不是每个人都能享受这份闲适与清雅。在世俗的纷纷扰扰中不可自拔，在欲望的是非成败间患得患失，即使倚歌春山，酾酒临江，也如蹈汤火、如履薄冰，浑然不知清风徐来，月出皎兮。

世上本有真我，需用真心去寻找。

一五

穷理尽妙①，钩深②出重渊③之鱼；进道④忘劳，致远乘⑤千里之马。

【翻译】

深入研究，掌握深奥隐秘的道理，才能有所收获，像从深潭里钓出大鱼；进道问学，忘记学习的疲劳，才能取得成就，像骑千里马到达远方。

【赏析】

潜在深处的鱼，最难钓出，但鲜嫩可口。最精彩的风景，在远方，在最难到达的地方。

---

① 穷理尽妙：意思是系统深入地研究事物的原理，以达到精深奥妙的境地。
② 钩深：探究隐秘的道理。
③ 重渊：深潭。
④ 进道：进道问学。
⑤ 乘：骑、坐。

野外旅行者有句名言：身体在地狱，眼睛在天堂。他们穿越沙漠、沼泽、荒野、雪山，他们风餐露宿，与虫蛇为伍，和寂寞、恐惧、疲惫做伴，他们尝尽千辛万苦，只为看到与众不同的风光，寻找遗落已久的灵魂故乡。

修行进道、格物穷理，就像远行，需要忘记疲劳，克服艰难险阻，在风雨尽头，邂逅最美的彩虹。

一六

学者动静殊[①]操[②]、喧寂异趣[③]，还是锻炼未熟、心神混淆故[④]耳。须是操存[⑤]涵养[⑥]，定云止水中，有鸢飞鱼跃[⑦]的景象；风狂雨骤处，有波恬浪静的风光，才见处一化齐[⑧]之妙。

【翻译】

做学问的人，在动荡和安宁的形势下表现出不同的品行，在喧闹和寂静的环境中表现出不同的志趣，这还是锻炼得不够成熟，心思精力混淆的缘故。必须坚定意志、修养性情，在安

---

① 殊：不同。
② 操：品行、操守。
③ 趣：志向、作为。
④ 故：原因。
⑤ 操存：执持心志，不使丧失。
⑥ 涵养：修身养性。
⑦ 鸢（yuān）飞鱼跃：鹰在天空飞翔，鱼在水中腾跃。
⑧ 处一化齐：这里的意思是以同样的心态对待各种变化。

定的云和静止的水中，看见鹰飞鱼跃的景象；在暴风骤雨中，看见波涛宁静的风光，才能体会到万物大同、我心如一的境界。

【赏析】

诸葛亮躬耕南阳，勤学不辍，时常与好友纵论天下大事，于草庐之中谋定天下三分形势，此所谓定云止水中，有鸢飞鱼跃的景象。范仲淹在应天府书院学习，一天恰逢宋真宗路过，同学们都撂下书本去街上一睹皇帝风采，唯独范仲淹端坐如故，说："早晚要在朝堂见到圣上，何必急于一时。"面对喧嚣诱惑依然如故，此所谓风狂雨骤处，有波恬浪静的风光。

诸葛亮、范仲淹都是有大志向的人，所以执持心志、修养性情，不因环境改变自己的操守，终于成为青史留名的伟大人物。

世界的精彩之处在于纷繁变化，只有心有所执、抱守如一、处变不惊，才能功成名就。

一七

心是一颗明珠，以物欲障蔽[①]之，犹明珠而混以泥沙，

① 障蔽：遮蔽。

其洗涤犹[1]易；以情识[2]衬贴[3]之，犹明珠而饰以银黄[4]，其洗涤最难。故学者不患垢病[5]，而患洁病[6]之难治；不畏事障[7]，而畏理障[8]之难除。

【翻译】

心就像一颗晶莹明亮的宝珠，因为贪图物质遮蔽了心灵，好比明珠跟泥沙混在一起，洗干净还比较容易；因为才情见识而受蒙蔽，好比明珠镀上黄金白银，要洗干净最困难。因此修学的人不担心有污浊的毛病，而担心讲究洁净的毛病难治；不害怕在具体事务上犯错误，而害怕理论认识上的错误难以改正。

【赏析】

贪婪、堕落、暴虐，是品行上的污秽，人所共知，虽然恶劣，尚有改正的可能。如果认知上有偏差，把贪婪当作"人不为己，天诛地灭"的信仰，把堕落当作特立独行、自由不羁的个性，把暴虐当作无所畏惧、无坚不摧的力量，那么谬误很难回到真理的轨道上。

也许真理只有一个，但在不同角度思考，会得出不同结论。就像明珠衬贴上不同的外饰，人们被物欲蒙蔽了眼睛，

---

① 犹：前一个"犹"是比如、好像的意思；后一个"犹"是还的意思。
② 情识：才情和见识。
③ 衬贴：在物体表面覆盖粘贴。此指蒙蔽。
④ 银黄：白银和黄金。
⑤ 垢病：污浊的毛病。
⑥ 洁病：洁癖，过分讲究洁净的毛病。
⑦ 事障：指对具体事务处理上出现错误，即办错事。
⑧ 理障：指对事情认知上出现错误，即理论错误。

真理便被掩盖，难以辨识。

修学者欲求真理，只有不断反思既往的认知，在实践中擦亮双眼，让自己的心灵光亮如珠。

一八

躯壳的我要看得破，则万有[①]皆空而其心常虚[②]，虚则义理[③]来居；性命[④]的我要认得真，则万理皆备而其心常实[⑤]，实则物欲不入。

【翻译】

肉体的自我要看得透彻，这样就能看空万物，使内心虚空，道德准则才方便入住；本性的自我要认得真切，这样就能掌握诸般道理，使内心充实，物质的欲望才难以入侵。

【赏析】

作为个体，人有两个“自我”，一是肉体，一是精神，肉体即躯壳，精神即性命（本性）。

对于修身，人们往往面临两种选择，一是物欲，一是义理。物欲是躯壳上的满足，义理是本性上的富有。躯壳上的满足让人贪婪堕落，义理上的富有让人品行高洁。

---

① 万有：万物。

② 虚：空。

③ 义理：合乎一定伦理道德的行事准则。

④ 性命：本性。

⑤ 实：满。

躯壳上要空，把物欲搬出去，腾出空间，让义理入住。本性上要实，义理充实其间，物欲才能被拒之门外。就像一间房屋，阳光照射进来，使人感觉温暖；月光照射进来，使人感觉清冷；花香飘进来，使人神清气爽；蟑螂爬进来，让人心生厌恶。房屋没变，因内容变化，气质大相径庭。

一九

面上扫开十层甲[①]，眉目才无可憎[②]；胸中涤去数斗[③]尘[④]，语言方觉有味。

【翻译】

剥去脸上的层层伪装，眉目才不让人厌烦；洗掉心中的数斗尘俗，语言才觉得有品位。

【赏析】

鱼儿穿上鳞甲，是为了游得更快；蜗牛背上重壳，是为了防御天敌。

世俗生活中，譬如职场，譬如交际场，人们给自己带上层层面具，或强颜欢笑，或故作高雅，或伪装亲热，或假意殷勤，失去了真我，失去了一颗待人的真心。

---

① 甲：表面的外壳，这里指伪装。
② 憎：厌烦、嫌弃。
③ 斗（dǒu）：容量单位，一斗为十升。
④ 尘：这里指尘俗。

直率固然有时让人不快，虚伪则始终令人厌烦。精致的酒杯里盛着难咽的馊水，华丽的霓裳下包裹着呛人的体臭，既亵渎了别人，也糟蹋了自己。

除下面具，露出真我，洗去尘俗，修养自身，终将成为受人欢迎的风雅之人。

二〇

完[1]得心上之本来[2]，方可言了[3]心；尽得世间之常道[4]，才堪论出世[5]。

【翻译】

完全明白自己的内心，才能说通晓人性；完全明白世间普通的道理，才能说超脱世俗。

【赏析】

这段话的逻辑是：一个人如果连自己的心理变化都搞不清楚，怎么能精通人情世故；连世俗的法则规律都不通晓，怎么能说没有与世俗同流合污？前一句由己及人，后一句由浅入深。

很多人羡慕世外高人，其实他们只不过看透了世态炎凉，

---

① 完：完全。

② 本来：指人本有的心性。

③ 了：了然、明白。

④ 常道：一定的法则、规律，世人都认可的道理。

⑤ 出世：超脱世俗之外。

明白自己内心所向。陶渊明有过十三年的仕途生涯，熟稔官场法则，确认“富贵非吾愿”，才“归去来兮”，委心任去留。

世人常说人心难测，其实人性相通，己所不欲，勿施于人，以心换心才能读懂人心。失意时经常愤世嫉俗，仔细想一想，到底是这个社会亏欠了自己，还是自己不了解这个社会？只有明白自己想要什么，才能确定自己该做什么。

二一

我果为洪炉[①]大冶[②]，何患顽金[③]钝铁之不可陶熔；我果为巨海长江，何患横流污渎[④]之不能容纳。

【翻译】

我如果是冶炼的大师，何必担心坚硬的金属、笨重的铁石不能陶铸熔炼；我如果是宽广的海洋江河，何必担心漫溢的水流、污浊的沟渠不能包容接纳。

【赏析】

秦国本是战国七雄中比较落后的国家，但其君主能虚心接纳人才，先后重用楚国百里奚、卫国公孙鞅、魏国张仪、

① 洪炉：大火炉。

② 大冶：冶炼金属的大师。

③ 顽金：坚硬的金属。

④ 污渎：污浊的死水沟。

楚国李斯等人。这些人都有这样那样的缺点，先被别国遗弃，才被引进到秦国，但秦国能用其所长，在他们的帮助下成就霸业，统一天下。一个国家如此，一个人也应如此。在宴会上，一位商人不屑地议论着钢铁大王卡耐基，卡耐基听到后不仅没有生气，反而虚心向他讨教，二人由此竟成为生意伙伴。

山峰之所以高耸，是因为它从不拒绝土石；海洋之所以宽广，是因为它从不拒绝细流。因为包容，人生的旅途中，没有对手，只有朋友。

二二

白日欺人，难逃清夜之愧赧①；红颜②失志，空贻③皓首④之悲伤。

【翻译】

白天欺骗别人，黑夜里难逃羞愧；少年时缺乏志向，白发时空留悲伤。

【赏析】

人生最愚蠢的莫过于两件事，一是欺人，二是欺己。

---

① 愧赧（nǎn）：羞愧。

② 红颜：少年时。

③ 贻（yí）：遗留、留下。

④ 皓首：白头、白发。

欺人者，担心报复，寝食难安，或者心中愧疚，夜不能寐，真可谓害人害己。欺己者，总把希望推到明天，以为有无穷无尽的明天可供挥霍，可供等待。这类人总幻想有一个晚上奇迹般地百花盛开，殊不知没有冬天的艰难守候，怎会有春天的姹紫嫣红。

二三

以积货财[①]之心积学问，以求功名之念求道德，以爱妻子[②]之心爱父母，以保爵位之策保国家，出此入彼，念虑[③]只差毫末[④]，而超凡入圣，人品且判星渊[⑤]矣。人胡不猛然转念哉！

【翻译】

以积攒财物的心思去积累学问，以求取功名的意念去追求道德，以疼爱妻子儿女的感情去亲近父母，以保全爵位的策略去保卫国家，放弃前者，做好后者，两种思虑只差毫末，却可以使人超越凡庸，成为圣人，人品天差地别。人们为什么不猛然醒悟、转变念头呢！

---

① 货财：财物。

② 妻子：妻子儿女。

③ 念虑：思虑。

④ 毫末：毫毛的末端，形容极其微小。

⑤ 星渊：渊，深潭。从天上星星到地面深潭的距离，比喻差别很大。

【赏析】

孔子感叹人的天性鄙俗，说“吾未见好德如好色者也”。高尚的灵魂总是难以企及，凡庸的生活触手可及。

积货物、求功名、爱妻子、保爵位，这些都是人的天性，本没有错，但如果人仅限于此，满足于浅层次的追求，不仅流于平庸，而且会陷入鄙陋不可自拔。

超凡入圣之人，应该做别人不愿做之事，用热衷名利之心去追求精神上的超越。犹如生活，除了眼前的苟且，还有诗和远方。

鄙俗还是圣洁？一念之间，失之毫厘，差之千里。

二四

塞得物欲之路，才堪辟道义[1]之门；驰[2]得尘俗之肩，方可挑圣贤之担。

【翻译】

堵上渴求物质的道路，才能打开道义的大门；放下凡尘世俗的肩荷，才能挑起圣人贤达的重担。

【赏析】

天生我材必有用，每个人都有成为圣人贤达的潜质，关

① 道义：道德正义。
② 驰：放下。

键是要放下什么，擎起什么。

圣人之所以为圣，是因为他们为凡世立德。贤达之所以为贤，是因为他们尊崇良善。诸葛亮忠心事主，鞠躬尽瘁，死而后已。范仲淹先天下之忧而忧，无论庙堂之高还是江湖之远，都不以物喜、不以己悲，心中只有君主和百姓。他们都是国家重臣，都能淡泊明志，宁静致远，心中装的是道义，舍不下的是责任。

命运是公平的，当你走上通向物欲的道路时，就关闭了道义的大门。当你拾起尘世的得失时，就卸下了修行的重担。

二五

融[①]得性情上偏私[②]，便是一大学问；消得家庭内嫌隙[③]，才为一大经纶[④]。

【翻译】

能融合性情上的偏颇自私，就是一门大学问；能消除家庭内的猜疑隔阂，才是一种真才干。

【赏析】

花开百朵，没有完全相同的两朵，世界因此才丰富多彩。

---

① 融：融合、调和。
② 偏私：偏颇、自私。
③ 嫌隙：因猜疑不满而产生隔阂。
④ 经纶：治理国家的才能。

人也一样，百人百性，修养自然不同，难免有偏颇自私之人令人不快。有才能的组织者，不会疏远、孤立这些人，而是设法把他们融合进团队，用团队的力量帮助其改正缺点。

子贡问孔子："有没有一句话可以作为终身的行为准则？"孔子说："难道不是'恕'字吗！"海纳百川，有容乃大，对于身边亲近的人，更应该学会包容。

二六

功夫自难处做去，如逆风鼓棹①，才是一段真精神；学问自苦中得来，似披沙获金②，才是一个真消息③。

【翻译】

功夫从困难的地方做起，好比逆着风划桨开船，才算是真的充满活力；学问从艰苦的条件中得到，好比淘去泥沙获取黄金，才算是真的奥妙所在。

【赏析】

雪莲开在高山之巅，要历尽千辛万苦才能得到，因此显得弥足珍贵。璀璨夺目的钻石，原矿深埋于地下，经过"如临深渊"般地开凿和"如履薄冰"般地加工，才能得到微小的一粒。世上愈是稀有之物，愈是得来艰难。

---

① 鼓棹（zhào）：划桨。

② 披沙获金：淘去泥沙得到金子，比喻从大量的东西中选取精华。

③ 消息：这里是奥妙、真谛的意思。

学问和本领也不例外。台上一分钟，台下十年功。你只看到别人的光鲜，却没有看到他的汗水；你只看到别人的荣耀，却没有看到他的孤独；你只看到别人的强大，却没有看到他的心酸。

二七

执拗[①]者福轻，而圆融[②]之人，其禄必厚；操切[③]者寿夭，而宽厚[④]之士，其年必长。故君子不言命，养性[⑤]即所以立命；亦不言天，尽人自可以回天。

【翻译】

固执任性的人福轻，而圆融的人，禄运一定厚；做事急躁的人寿命短，待人宽厚的人，寿命一定长。因此君子不说命运，用修身养性以奉天命；也不说天意，靠人的力量自然可以改变天意。

【赏析】

生活中遇事不顺，有的人怪罪命运，有的人哀怨机遇，有的人迁怒于出身，有的人悲戚于环境。其实，首先应该从自己身上找原因，性格是不是冥顽不化，做事是不是急于求

---

① 执拗：固执任性，不听从别人意见。

② 圆融：破除偏执，圆满融通。

③ 操切：做事急躁。

④ 宽厚：宽容厚道。

⑤ 养性：修养身心，使人能够更好适应自然和社会，即所谓涵养天性。

成。性格固执，自然不容易与人相处，所遇之人都是敌人；做事急躁，自然难以成功，困难挫折会接踵而来。性格决定命运，埋怨命运不如改变自己。学会融通，道路将越走越宽；宽容厚道，遇事必有贵人。

命运是一座空旷的山谷，你喊出什么样的声音，它就会给你什么样的回响。

二八

云烟影里现真身，始悟形骸[①]为桎梏[②]；禽鸟声中闻自性[③]，方知情识是戈矛。

【翻译】

在云雾烟气中呈现出真实的自我，才领悟出形体是束缚人的枷锁；在鸟的叫声中听见自然的本性，才知道才情和见识是伤害人的戈矛。

【赏析】

佛曰色即是空，色即是幻，一切有形之物，最终会烟消云散、了无影踪。自由自在、无拘无束才是大自然的真谛。对待生活，应该像鸟鸣一样出自天然，不事雕琢；像云影烟气一样缥缈聚合，皆由性情。然而，由于肉体的桎梏，我们

① 形骸：形体、肉身。

② 桎梏：原指脚镣和手铐，后比喻像镣铐般约束、妨碍或阻止自由的事物。

③ 自性：自然的本性。

产生了物欲、情欲，后天又增加了爱憎、取舍。心性日趋闭塞，离本真愈来愈远。

只有节制欲望，重拾天真，放下好恶之心，才能释放自由的灵魂。

二九

人欲从初起时翦除，便似新刍[①]遽[②]斩，其工夫极易；天理[③]自乍明时充拓[④]，便如尘镜复磨，其光彩更新。

【翻译】

人的欲望从刚有苗头时便消灭剪除，就好像马上割掉新长出的草，只需要很简单的功夫；人的天性从刚显现时便充实拓展，就好像打磨落满灰尘的镜子，它的光彩更亮。

【赏析】

人的德性与欲望，并非水火不容，但会此消彼长。当头脑被食、色、情、财占据，朴实、率真、纯洁、善良这些德性就无处容身。譬如农田里如果荒草蔓延，庄稼则会被“吞噬”，难以生长。所以除草要尽早，效果才会好。

君子常思己过，就是要经常对照检查，有没有贪欲萌发，

---

① 刍（chú）：草。
② 遽（jù）：立刻、马上。
③ 天理：儒家把天理看作本然之性，即天性。
④ 充拓：充实扩展。

致使自己获取不该得的财物。镜常拭常新，经常为心灵除垢，才能拓展天理，让自然本性晶莹剔透。

古圣贤说："存天理，灭人欲。"人欲固然不可尽灭，天理却应延续长存。

三〇

一勺水，便具四海水味，世法[1]不必尽尝；千江月，总是一轮月光，心珠[2]宜当独朗。

【翻译】

一勺水，便具有四海一切水的味道，世间的事物不一定都要品尝；所有江河里的月光，都共享同一轮月光，人的心性应该独自明亮。

【赏析】

想起一句情话：你在的时候，你是一切；你不在的时候，一切是你。

《菜根谭》不作情语，然而天性、操守、理趣、修学、建功，与情语相比，何尝没有异曲同工之妙！

大海由无数个水滴汇聚而成，一滴水便具有大海的属性。闻鸟鸣而知天性，读《春秋》而明忠义，拈一花而见佛祖，君子何必遍览世事，见微可以知著。

---

① 世法：佛教把世间一切生灭无常的事物都叫作世法。

② 心珠：指清净如明珠的心性。

你若是一轮明月，海角天涯，你便无处不在，一切都是你。正如君子修身，集天地之德于一身，心中有光明，走到哪里都晶莹明亮。

三一

事理因人言而悟者，有悟还有迷，总不如自悟之了了[①]；意兴[②]从外境而得者，有得还有失，总不如自得之休休[③]。

【翻译】

事情的道理因为别人讲解才明白，虽一时领悟，难免还会迷茫，总比不上自己领悟那么透彻；兴致从外部环境而获得，虽一时拥有，难免还会失去，总比不上从内心得到那么舒畅。

【赏析】

学习分为两个阶段：一是接受知识，一是独立思考。前者重在增长积累，后者重在消化领悟。学而不思则罔，老师的讲授只能解一时之惑，只有自己领悟才能举一反三、融会贯通。

有些人学习多年仍一知半解，有些人修业不久就大彻大悟，其中重要原因，在于是拾人牙慧还是苦心孤诣。

---

① 了了：指心里明白，清清楚楚。

② 意兴：兴致。

③ 休休：安闲、舒畅。

修养性情也是如此，如果处身清幽之地，能够宁静致远；处身喧嚣之所，则易亢奋浮躁；处身歌舞温柔之乡，则不思进取，终究随波逐流。不如修养内心，心宁意静，虽出污泥依然洁身如玉，身在闹市而无车马喧哗，这才是修身的极境。

三二

言行相顾①，心迹②相符，终始不二，幽明无间③。易世俗所难，缓时流④之急，置身于千古圣贤之列，不屑为随波逐浪之人。

【翻译】

语言和行动相互一致，思想和行动相符，结束和开始都没有改变，黑暗里和阳光下没有差别。世俗认为艰难的，当作轻松的事去做，世俗认为急迫的，当成从容的事去做，让自己置身于圣贤的行列，不屑于做随波逐流的人。

【赏析】

明朱棣发动靖难之役，攻进南京前夜，建文帝身边的三位重臣解缙、胡广、王艮商量何去何从。解缙痛骂朱棣不忠不义，胡广表示与朱棣不共戴天，只有王艮不说话，在一旁

---

① 相顾：相互一致，这里指言行一致。

② 心迹：思想和行动。

③ 无间：没有隔阂。此处指没有差别。

④ 时流：世俗之辈。

默默流泪。三人分别后，解缙连夜出城，投奔了朱棣；胡广第二天投降，叩拜新主；只有王艮从容自杀，以身殉主。

解缙是大才子，因为这件事为世人鄙视。世相复杂，人心叵测。衡量一个人的道德修为，不在于一时一地，也不在于名声功绩，关键要看其是否言行一致，能否持之以恒，以轻松的态度对待艰难，以从容的态度赴身危急，能做到这些，则可以置身圣贤之列。

三三

尘许[1]栴檀[2]彻底香，勿以微善而起略退之念；毫端[3]鸩[4]血同体毒，莫以细恶而萌无伤[5]之芽。

【翻译】

少许栴檀木就同整块檀木一样香，不要因为善事小就起些许退却的念头；微量鸩鸟的血就同整只鸟一样毒，不要因为恶事轻就萌发疏忽大意的根苗。

【赏析】

风起于青萍之末，事物总是由小到大、由弱到强。一小块檀香跟一大截檀木所散发出来的香味没有本质的区别，一

① 尘许：少许。
② 栴（zhān）檀：即檀香。
③ 毫端：细毛的末端。比喻极细微。
④ 鸩：传说中的一种毒鸟。
⑤ 无伤：没有什么关系。此处指疏忽大意。

小滴鸩血跟一只鸩鸟的毒性同样都能致命。所以说勿以恶小而为之，勿以善小而不为。一件很小的善事，也许对别人的帮助不是很大，但对于施善者来说，其德行和品质都应该受到称赞。积少成多，许多善事累积起来，也许会改变一个人的处境，甚至命运。对于作恶者来说，做一件很小的坏事得不到警诫，以后还会怀着侥幸心理在错误的道路上越走越远。白蚁的洞穴看起来微不足道，如果不及时清除，可能会摧毁千里河堤。同样，一个小错如果不及时改正，也有可能会毁掉一个人的一生。

三四

从五更枕席上参勘[①]心体，气[②]未动，情未萌，才见本来面目；向三时饮食中谙练[③]世味，浓不欣，淡不厌，方为切实工夫。

【翻译】

五更时分，躺在枕席上检视内心，精神没有波动，情绪没有萌发，才能洞悉自己的本来面目；一日三餐，在饮食中熟习人情世故，浓厚不欣喜，淡薄不厌恶，才是扎扎实实的修养功夫。

【赏析】

检视自己，需要严肃认真的态度。五更时分，天色将明，

---

① 参勘：检讨、检视。
② 气：古代哲学概念，指主观精神。此处指情绪。
③ 谙练：熟练、熟习。

经过一夜的养精蓄锐，正好凝神静气，叩问内心。这时，得失取舍想得清楚，思得明白，悟得深刻。

练达世情，最好从基本的生存需求做起。民以食为天，一日三餐中包含着种种世态人情、世相风尚。食糟糠而不恶，饮琼浆而不喜，见珍馐如风露，视齑粥为馔玉，方是修身养性的大境界。

第二卷　应酬

一

操存[1]要有真宰[2]，无真宰则遇事便倒，何以植[3]顶天立地之砥柱[4]？应用[5]要有圆机[6]，无圆机则触物有碍，何以成旋乾转坤之经纶？

【翻译】

操守心志要有主导原则，没有主导原则遇到事情就会倾倒，怎么树立顶天立地的砥柱？应对运用要能灵活变通，不能灵活变通，处理事物则会有阻碍，怎么能成就扭转乾坤的才干？

【赏析】

森林里的大树，之所以能够成材，是因为坚定地朝一个方向生长。做人也应坚守心中的道义和操守，立身中正，这样才能受到信任，成为可以依靠的中流砥柱。然而做事却需要灵活变通，否则会处处碰壁。海瑞是历史上有名的清官，他刚正不阿，但不知圆机，带给百姓的实际利益有限。因此思想大师李贽评价他："先生如万年青草，可以傲霜雪而不可充栋梁。"

---

① 操存：指操守心志。
② 真宰：主宰。这里指主导原则。
③ 植：树立。
④ 砥柱：原指黄河中的山石，此处用以比喻坚强独立的人在动荡艰难的环境中起支柱作用。
⑤ 应用：应对运用。
⑥ 圆机：圆通机变、灵活变通。

《西游记》中，唐僧既不能降妖伏魔，又不会上天入地，但他凭借信念和坚守，成为取经团队的领袖。孙悟空则有灵活变通的办事方法，比如对付妖怪，小妖直接打死，大妖请神仙帮忙。唐僧的品格加上孙悟空的能力，取经团队才能排除九九八十一难，取得真经，修成正果。

二

士君子[1]之涉世，于人不可轻为喜怒，喜怒轻，则心腹肝胆皆为人所窥；于物不可重[2]为爱憎，爱憎重，则意气[3]精神悉为物所制。

【翻译】

士君子接触社会，对他人不能轻易表现高兴和愤怒，轻易表现喜怒，内心世界就会全被人看透；对外物不能过分流露喜欢和厌恶，过分流露爱憎，神态情绪就会全被外物制约。

【赏析】

儒家讲求中庸，中庸之道，用于情绪，就是喜怒不形于色。如果情绪不加克制，便容易被人利用，最后受伤害的还是自己。《三国演义》中，周瑜气量狭窄、急躁易怒，诸葛亮故意气他，以致英年早逝。宋真宗好大喜功，贪图虚誉，于

---

① 士君子：指学问深厚、道德高尚的人。

② 重：这里指程度深，过分。

③ 意气：指精神、神色。

是大臣王钦若、丁谓等投其所好，伪造天书，编造祥瑞，鼓动皇帝东封西祀，大修宫观，不仅劳民伤财，而且成为历史笑柄。

当然，一个人历经世事沧桑，见惯惊涛骇浪，才可能变得无私、无畏、无愧，则无需刻意隐瞒情绪，便做到云淡风轻，波澜不惊。古今多少事，不过是一杯浊酒，几句笑谈而已。

三

倚[①]高才而玩世，背后须防射影之虫[②]；饰厚貌[③]以欺人，面前恐有照胆之镜[④]。

【翻译】

倚仗才学高超就玩世不恭，要提防背地里含沙射影的小人；伪装厚道的外貌用来欺骗别人，面前恐怕有照出肝胆五脏的方镜。

【赏析】

人们初涉世事，往往易走极端，对弱者傲慢，玩世不恭；

---

① 倚：依仗、仗恃。

② 射影之虫：传说中一种叫蜮的动物，可在水中含沙喷射人的影子，使人生病，因此蜮又名射影。后用“射影之虫”或“含沙射影”比喻暗中攻击或陷害人。

③ 厚貌：厚道的外貌。

④ 照胆之镜：据汉刘歆《西京杂记》，汉高祖初入咸阳宫，有方镜，能照人肠胃五脏。人内脏有疾病，能照出病在哪里。又女子有邪心，照之则胆张心动。秦始皇常以照宫人，胆张心动者则杀之。

在强者面前又极力伪饰自己，欺世盗名。傲慢者损人自尊，容易招致暗箭，很多时候，莫名其妙就成了众矢之的，被孤立、被攻击，被造谣中伤，被落井下石，凡此种种，不一而足。伪饰者，总有暴露的时候，就像南郭先生吹竽，骗得了一时，骗不了一世，最终搬起石头砸了自己的脚。

谄固可耻，傲亦非分，最好的还是萧然自远，淡然处世。

四

心体澄澈，常在明镜止水[①]之中，则天下自无可厌之事；意气和平，常在丽日光风[②]之内，则天下自无可恶之人。

【翻译】

身心澄澈，像常常映照在明亮的镜中、静止的水里，那么天下自然没有让人厌烦的事情；神态和平，像常常沐浴在明媚的阳光下、和煦的惠风中，那么天下自然没有让人憎恶的坏人。

【赏析】

据说，有次苏轼跟高僧佛印一起参禅打坐，佛印说：“我看你的坐姿像一尊佛。”苏轼调侃说：“我看你的坐姿像一坨

① 明镜止水：比喻心境澄澈平和、平静坦然。明镜，明亮的镜子；止水，静止的水面。

② 丽日光风：比喻明净和谐的状态。丽日，明媚的太阳；光风，雨后日光照耀下的和风。

屎。”佛印默然不语。苏轼自以为恶作剧成功，向妹妹炫耀。妹妹不以为然地说：“佛印心中有佛，看万物都是佛。你心中有屎，所以看佛印是一坨屎。”

这虽然只是一个故事，但佛经云：心有所想，目有所见。意思是人有什么样的内心，就会看到什么样的世界。心地纯洁的人，总能找到志同道合的朋友；品行不端的人，极目之处皆恶魔。幸福得自心境，何不做一个心体澄澈、意气平和的人，享受这世界的丽日风光。

五

当是非邪正之交[1]，不可少[2]迁就，少迁就则失从违[3]之正；值利害得失之会，不可太分明，太分明则起趋避之私。

【翻译】

当是与非、邪与正交错在一起，不能有少许的迁就，有少许的迁就，就会失去取舍的公正；碰到利与害、得与失会聚在一起，不能分得太清楚，分得太清楚，就会产生趋利避害的私心。

【赏析】

是非邪正，利害得失，都关乎选择取舍，乍一看大同小

① 交：交会，碰到一起。
② 少：少许。
③ 从违：取舍。

异，细品味却大相径庭。

是与非，邪与正，二者尖锐对立，此消彼长，必须旗帜鲜明，立场坚定。对邪恶的迁就让步，就是对正义的伤害，切不可妥协调和，不可模糊标准，混淆界限。

利与害，得与失，涉及私利。对私利如果“明察秋毫”、斤斤计较，甚至对一些蝇头小利都要分出高低上下，势必与人日渐疏远，最终成为孤家寡人。

如果分清楚公与私、德与欲，自然明晓哪些要方寸必争，哪些应随缘随性。

六

苍蝇附骥[①]，捷则捷矣，难辞处后之羞；茑萝[②]依松，高则高矣，未免仰攀之耻。所以君子宁以风霜自挟[③]，毋[④]为鱼鸟亲人[⑤]。

【翻译】

苍蝇附在马尾上，速度固然很快，却难以摆脱处在后面的羞愧；茑萝缠绕着松树，固然爬得很高，却不能避免仰仗攀附的耻辱。所以君子宁可依靠自己承受风霜，也不能像被喂养的鱼鸟一

① 骥：良马，这里指马尾。

② 茑（niǎo）萝：即茑萝松，一种缠绕草本植物，攀援性极强。

③ 自挟（xié）：依靠自己，自己承受。

④ 毋（wú）：不要，不可以。

⑤ 鱼鸟亲人：像鱼和鸟一样亲近人，这里指依附他人。

样依附他人。

【赏析】

“我如果爱你——绝不像攀援的凌霄花，借你的高枝炫耀自己。”女诗人舒婷一首《致橡树》，曾引起无数人共鸣。恋爱中的男女，尚且不屑于攀附对方，世俗中的人，更应该做独立的自己。

无论职场上，还是生活中，都不乏想通过攀附走捷径的人。他们看起来很风光，那是因为借了别人的光，一旦远离光源，瞬间黯然失色。他们看起来高高在上，其实只是一株爬到松枝上的茑萝，轻轻一拽，便萎落满地。

人不可有傲气，但不可无傲骨。花鸟鱼虫被人喂养，无论多么安逸舒适，始终只是玩物。虎、豹幕天席地，风霜自挨，其嚎啸足以震动山林。大凡有傲骨的人，宁愿自力更生，也不甘做受羁绊的强者。

七

好丑心太明，则物不契[1]；贤愚心太明，则人不亲。士君子须是内精明而外浑厚[2]，使好丑两得其平[3]，贤愚共受

① 契：契合心意。
② 浑厚：淳朴宽厚。
③ 平：平衡。

其益，才是生成[①]的德量[②]。

【翻译】

分辨美丽的和丑陋的心太过分明，那么事事物物就不会称心；分辨贤良和愚钝的心太过分明，那么他人就不会亲近。士君子一定是内心精明，外表淳朴宽厚，使美丽与丑陋二者得以平衡，贤良和愚钝共同得到好处，这才能日渐形成涵养和气量。

【赏析】

一场春雨不期而至，杜甫欣喜，说："好雨知时节。"晏幾道惬意，说："微雨燕双飞。"王维想起风雨无情，喟叹道："花落知多少？"蒋捷感叹时光流逝，感慨道："流光最易把人抛！"

同样一场春雨，人们的感受却大相径庭，因为美丑贤愚取决于人的心境和主观认知。丑陋的人可能有一颗善良的心灵，美貌者也不乏蛇蝎心肠。聪明的人也有做傻事的时候，愚钝的人在某一方面或许有特殊才能。善待他人，善待世间万物，善于发现隐藏于深处的光亮；多一份宽厚，多一份包容，就会发现，这个世界原来可以和谐共融。

八

士君子济人利物[③]，宜居其实，不宜居其名，居其名，

① 生成：长成，日渐形成。
② 德量：道德涵养和气度。
③ 济人利物：谓救助他人，对世事有益。

则德损；士大夫[1]忧国忧民，当有其心，不当有其语，有其语，则毁[2]来。

【翻译】

士君子帮助他人，造福世事，应该采取实际行动，而不是谋求名声，谋求名声，道德就会受到损害；士大夫忧患国事，忧虑民众，应当怀有真心，而不是空喊口号，空喊口号，就会招致诽谤。

【赏析】

说得好不如做得好。多做少说，世人终将认识你的价值。说得好，可能蒙蔽一时，但不能蒙蔽一世。那些说大话、喊口号，夸夸其谈，不能给社会带来实际利益的人，总有一天会被遗弃。

隋炀帝好大喜功，邀请外国客商会聚洛阳，他要求酒店宾馆一律免费，又用布帛缠绕街道上的树木，预备上万人进行大型演出。外国客商困惑地问："布帛为什么不给穷人做衣服，却用来缠树?"隋炀帝居其名、夸其语，最终因为奢靡暴虐而导致政权覆亡。

九

彩笔描空，笔不落色，而空亦不受染；利刀割水，刀

① 士大夫：这里指官吏。
② 毁：诽谤。

不损锷[①]，而水亦不留痕。得此意以持身涉世[②]，感与应[③]俱适，心与境[④]两忘矣。

【翻译】

用彩色的笔在空中描绘，笔上的颜色没有褪去，而“空”也没有受到污染；用锋利的刀去切割水，刀刃没有磨损，而水也没有留下痕迹。领会这种境界并用以立身处世，那么内心感受与外界的回应都很适宜，就能达到内心与外境皆忘的境界了。

【赏析】

什么样的内心最强大？是掌握了渊博的知识？是具备了练达的人情？是有崇高的目标？还是有高尚的情操？不，都不是！最强大的内心，是无欲无求，随遇而安。是欲望到空，随意如水！当欲望为空时，没有什么能玷污我们的心。权势、美色、华服、豪宅，都不会在你的内心留下任何痕迹。当随意如水时，没有什么能阻挡你的存在，刀剑不行，山石不行。离别的孤独、事业的失败，都不能给你的内心带来任何伤害。所谓物我两忘，并不玄奥，就是无欲无求，随遇而安。

---

① 锷（è）：刀剑的刃。

② 持身涉世：立身处世。

③ 感与应：感，思想受外界影响而有感；应，应和、呼应。佛教认为，众生以其精诚感动神明谓之感，神明回应谓之应。感与应，是相互对应的关系。

④ 心与境：心是一切精神现象的总称，即意识；境是意识所感受的外物。

一〇

长袖善舞，多钱能贾[①]，漫炫[②]附魂[③]之伎俩；孤槎济川[④]，只骑解围，才是出格[⑤]之奇伟。

【翻译】

衣袖长适合舞蹈，本钱多便于做生意，只是徒然炫耀依赖他人的手段；一只小木筏能够渡河，一人一马能够冲出包围，才是与众不同的伟大。

【赏析】

司马懿生于地方大族，恰逢战乱，家族朝不保夕。他从小吏做起，跟随曹操南征北伐，逐渐脱颖而出，后又诛灭政敌、执掌权柄，此可谓孤槎济川，只骑解围。其子司马昭、其孙司马炎，在司马懿开创的基业上巩固提高，各有功业，此所谓长袖善舞、多财善贾。

长袖善舞，是一门技艺；孤槎济川，是英雄壮举。二者都为人称道，分量却有云泥之别。

---

① “长袖”二句：比喻环境条件好，容易把事情做成。

② 漫炫：漫，徒然；炫，夸耀。

③ 附魂：这里是依赖、凭借的意思。

④ 孤槎（chá）济川：槎，木筏；济川，渡河。

⑤ 出格：与众不同，超出一般。

一一

好[1]察[2]非明，能察能不察之谓明[3]；必胜非勇，能胜能不胜之谓勇。

【翻译】

喜欢把事情弄清楚不算明智，能弄清楚又能不弄清楚，才叫明智；一定要战胜对手不算勇敢，能战胜对手又能不战胜对手，才叫勇敢。

【赏析】

这个世界五彩缤纷，并非只有黑白二色。人性复杂多变，时而高洁，时而鄙俗。只要不是大是大非的原则性问题，不可与人过于计较。水至清则无鱼，人至察则无友。即使是圣人也有污点，观其大节，忽视细节，才能洞悉人性。是所谓能察能不察之谓明。

对于战争，胜利不是唯一的选项，有时得人心比得城池更令人欢欣鼓舞。晋文公退避三舍，人们皆称其道义；诸葛亮对孟获七擒七纵，虽胜不谓之胜，最终安定了后方。此能胜能不胜之谓勇也。

察与不察，胜与不胜，即使是权谋，也能体现出宽厚的品德。

---

① 好：喜欢、爱好。

② 察：细致地观看，这里指弄清楚。

③ 明：这里是明智的意思。

一二

思入世而有为者，须先领得世外风光，否则无以脱垢浊[①]之尘缘[②]；思出世而无染[③]者，须先谙尽世中滋味，否则无以持空寂[④]之苦趣[⑤]。

【翻译】

想进入世俗有所作为的人，必须先体会世俗之外的风光，否则没有办法摆脱污秽的尘世因缘；想要离开世俗不受感染的人，一定要先熟悉尘世中的滋味，否则没有办法守住空虚寂寞的苦闷。

【赏析】

对于古人来说，最大的尘世莫过于官场。

官场犹如围城，有的人想进去，有的人想出来。

想进入官场的，大多要在这里施展自己的抱负。然而官场集中了尘世的垢浊：尔虞我诈、欺上媚下，不一而足。如果没有一颗超脱的心，在官场的泥淖中，人很快会污浊不堪。

在官场折腾久了，理想的棱角被现实打磨得光滑如镜，再也没有风雷激荡的热情，于是看破红尘，想要遁出世外。世外的云淡风轻、闲云野鹤，显得格外可贵。但是，世外也

---

① 垢浊：污秽。

② 尘缘：佛教、道教中所谓尘世的因缘。

③ 染：感染，指受到尘世的影响。

④ 空寂：空虚寂寞。

⑤ 苦趣：苦恼的滋味。

有青灯孤影、寒塘冷霜，这份孤独苦楚，如果不是在尘世遭受过累累伤痕，又怎能承受得起？

一三

酷烈[1]之祸多起于玩忽[2]之人，盛满[3]之功常败于细微之事。故语云："人人道好，须防一人着恼；事事有功，须防一事不终。"

【翻译】

惨烈的灾祸大多由不认真的人造成，显赫的功业常常因细微的事而失败。所以常言道："每个人都说好，必须提防一个人恼怒；每件事都有功，必须防止一件事没有完成。"

【赏析】

西方有个寓言故事，说的是一个铁匠在将军的马掌上少钉了一根铁钉，战斗中马掌脱落，马匹跌倒，将军被杀，导致战争失败，帝国灭亡。这个故事告诉我们：细节决定成败！其实这样的事例不胜枚举，危机大多发生于春风得意、志得意满之时。这个时候，人最容易产生骄傲自满的情绪，对小事掉以轻心，对细节不屑一顾，然而正是这些琐碎小事和细枝末节，成为整个事件发展的转折点。君子慎微，要谨防一

① 酷烈：惨烈。
② 玩忽：不认真对待，忽视。
③ 盛满：极其兴盛、极其显赫。

招不慎，满盘皆输的悲剧发生。

一四

功名富贵，直[①]从灭[②]处观究竟[③]，则贪恋自轻；横逆困穷，直从起[④]处究由来，则怨尤[⑤]自息。

【翻译】

享受功名富贵时，只要从覆亡的结局中预测结果，贪恋之心自然能变淡；遭受困顿厄运时，只要从产生的地方探究起因，怨恨责备之心自然能消失。

【赏析】

世上没有不衰败的富贵，再纵情的豪奢，最终都会如旖旎烟霞，风吹云散。能够从开始就看到结果，就不会把富贵看得太重，享受富贵的时候也不会得意忘形。困顿贫穷也不总是如影随形，其肇始应有迹可循，怨天尤人无济于事，应多从自己身上查找原因。比如生意失败，是因为自己懒惰，还是知识和技能储备不足？只有改变自己的心态，改正自己的行为，才能雨过天晴，春暖花开。

---

① 直：只、仅仅。
② 灭：消失、覆亡。
③ 究竟：结果、原委。
④ 起：这里是开端、产生的意思。
⑤ 怨尤：怨恨责备。

一五

宇宙[1]内事，要力担当，又要善摆脱。不担当则无经世[2]之事业，不摆脱则无出世之襟期[3]。

【翻译】

世上的事，既要努力担当，又要善于摆脱。不担当就没有治国安邦的事业，不摆脱就没有超脱世俗的情怀。

【赏析】

“达则兼济天下，穷则独善其身”，是古代士大夫的处世原则。兼济天下，就要勇于担当，致君尧舜，治国安邦，这是士大夫的最高理想。但是，人在现实中时常遭遇坎坷，难免会碰得鼻青脸肿。因此，在进之前，要先想好退；在担当之时，要学会摆脱。不能轰轰烈烈，那就潇潇洒洒；不能壮怀激烈，那就云淡风轻。

世界那么大，不仅有惊涛骇浪，而且有春暖花开。能担当，亦能摆脱，不是圆滑，而是珍惜世缘，不负今生。

---

① 宇宙：这里指世界。

② 经世：治理国事。

③ 襟期：情怀、志趣。

一六

待人而留有余，不尽之恩礼[①]，则可以维系无厌[②]之人心；御事而留有余，不尽之才智，则可以提防不测[③]之事变。

【翻译】

对待他人要留有余地，保留没有穷尽的恩礼，才可以维系人们不满足的心理；办事情要留有余地，保留没有用完的才智，才可以提防料想不到的变故。

【赏析】

哲学和艺术在理论上有相通的地方，譬如中国画讲究留白，中国人待人接物也讲究留有余地。留白是为了给想象力留下空间，留有余地是为了给人的欲望留下空间。而处理事情，也不可不保留余地，否则事情一旦发生变化，就没有了回旋腾挪的余地。古代臣子立功，皇帝要为他加官进爵。如果立功过多，功劳过大，官位权势已经到顶，再也没有什么可以封赏的时候，只有两种结果，一是杀掉功臣，二是被功臣篡位。因为恩礼已尽，而人的欲望无穷，只有翻脸无情。

---

① 恩礼：尊上对下的礼遇。

② 厌：满足。

③ 测：预料、推算。

一七

了心[1]自了事[2]，犹根拔而草不生；逃世不逃名[3]，似膻[4]存而蚋[5]仍集。

【翻译】

如果能了悟心性，自然能够了结事情，就像拔草时连根拔起，杂草不会再生；逃避世俗但不逃避声名，好似腥膻味道还在，蚊蚋还会聚集。

【赏析】

人在尘世被折腾得伤痕累累，便想要躲进深山，过牧笛唱晚、采菊篱下的隐逸生活。世俗的欲望像浅浅的溪流蜿蜒而去，只有曾经的赞誉、声名还像草长花开一样难以割舍。其实，声名跟欲望一样，是尘世在心中留下的腥膻，是对世俗的眷恋和流连，也是痛苦的根源。一切烦恼，皆由心生，亦由心灭。既然决定逃避世俗，就应该斩断六根，了却心念，不让蚊蚋有聚集的地方。

---

① 了心：了悟心性。

② 了事：使事情完结。

③ 逃名：逃避声名。

④ 膻（shān）：像羊肉的气味。

⑤ 蚋（ruì）：一种追腥逐臭而且传染疾病的昆虫。

一八

仇边之弩[1]易避，而恩里之戈[2]难防；苦时之坎[3]易逃，而乐处之阱难脱。

【翻译】

从仇敌方面射出的箭容易躲避，但夹杂在恩惠里的戈矛难以防备；苦难时遇到的坎坷容易逃避，但快乐时碰到的陷阱难以逃脱。

【赏析】

从仇敌方面射出的箭，之所以容易躲避，是因为人们有所准备，不敢懈怠。但对于恩惠来说，我们心存感激，心不设防，所以忽略了危险。苦难时处处坎坷，自然如履薄冰。快乐时得意忘形，便忽略了危险，对脚下的陷阱浑然不觉。俗话说“明枪易躲，暗箭难防”，暗箭大多来自内部，来自身边，防不胜防。“生于忧患，死于安乐”，安乐使人意志薄弱、漠视危机，不可不警惕。人生如攀岩，稍有不慎便会前功尽弃，切记要居安思危，常备不懈。

---

① 仇边之弩（nǔ）：从仇敌方面射出的箭。

② 恩里之戈：从恩人方面刺过来的戈矛。

③ 坎：低洼不平的地方。这里指坎坷。

一九

沾泥带水[1]之累，病根在一“恋”字；随方逐圆[2]之妙，便宜[3]在一“耐”[4]字。

【翻译】

办事沾泥带水，反而受到拖累，病根在一个“恋”字；行事顺应变化，妙处尽在其中，适合用一个“耐”字。

【赏析】

有些人做事干净利落，有些人做事拖泥带水。究其原因，前者当断则断、当弃则弃；而后者牵挂太多，不忍放下，胡子眉毛一把抓，分不清主次缓急，自己累得一塌糊涂，事情办得一团乱麻。就像一个人在山洞里发现许多珠宝，既没有能力全部带走，又不愿舍弃其中任何一颗，最后只能守着宝藏活活饿死。聪明的做法，无疑是随方逐圆，忍受住财富的诱惑，挑选最有价值的带回。贪恋和忍耐之间，不仅隔着智慧，而且能够显现出人在不同境界的处世态度。

---

① 沾泥带水：比喻说话、写文章不简洁或办事不干脆。

② 随方逐圆：处事顺应形势和情况的变化，待人随和而不固执。

③ 便（biàn）宜：方便合适，合乎时宜。

④ 耐：忍受得住。

二〇

膻秽则蝇蚋丛[①]嘬[②]，芳馨则蜂蝶交[③]侵[④]。故君子不作垢业[⑤]，亦不立芳名。只是元气[⑥]浑然，圭角[⑦]不露，便是持身涉世一安乐窝也。

【翻译】

膻秽的地方，苍蝇蚊蚋聚集吮吸，芳香的地方，蜜蜂蝴蝶一起前来。所以君子不做肮脏的事情，也不树立美好的名声。只要元气纯朴，不露锋芒，便是把持身心、涉历世事的舒适所在。

【赏析】

污秽堆积的地方，经过的人无不掩鼻；繁花开处，芳香四溢，则令人心向往之。君子不做肮脏之事，容易理解；君子不要美好的名声，很多人觉得不可思议。然而中国传统文化认为，名声同欲望一样，是身外之物，是人生的负担，过于看重，会伤害本元。藏巧守拙，大智若愚，不露锋芒，才是修行的要义。

深藏功与名，回归最初的自己，才能卸下包袱，达到物

---

① 丛：聚集，许多事物凑在一起。
② 嘬（zuō）：聚缩嘴唇吸取。
③ 交：一起。
④ 侵：临近、前来。
⑤ 垢业：肮脏的事情。
⑥ 元气：指人的精神、精气。
⑦ 圭角：圭的棱角，引申为锋芒。

我两忘的自然之境。

二一

从静中观物动，向闲处看人忙，才得超尘脱俗[①]的趣味；遇忙处会偷闲[②]，处闹中能取静，便是安身立命[③]的工夫。

【翻译】

从静中观察物体的运动，在闲的时候看他人忙碌，才有超出尘世、脱离庸俗的趣味；遇到繁忙的时候能挤出空闲，置身热闹的环境中能获得宁静，就是为人处世、奉养天命的功夫。

【赏析】

大多数人为了生计，专注于眼前，拘囿于当下，为俗务羁绊，来不及思考人生的意义，也没有工夫去体会人生的趣味。一旦有了闲暇，静下心来回视过往，蓦然觉得今是而昨非。明月松间照，清泉石上流；云无心以出岫，鸟倦飞而知还。超凡脱俗的生活，真好！在宁静和闲暇时关注生命和自然的本真，才能领悟人生的真谛，才能明白哪些事情应该去做，哪些事情可以舍弃。静以修身，坐下来，闭上眼，静静

① 超尘脱俗：这里指超越凡世生活，脱离庸俗。

② 偷闲：挤出空闲时间。

③ 安身立命：安身，在某处安下身来；立命，精神有所寄托。这里是为人处世、奉养天命的意思。

体悟人生的跌宕起伏、花开花谢。

二二

邀[①]千百人之欢，不如释[②]一人之怨；希千百事之荣，不如免一事之丑[③]。

【翻译】

希求许多人的欢心，不如消除一个人的怨恨；希求许多事的荣耀，不如免去一件事的耻辱。

【赏析】

古代用木桶打水，木桶由许多木板拼接而成。木桶盛水多少，取决于最短那块木板的长度。

纵然有千百个人欢心，却有一个人愤愤不平，这是人际交往中的"短板效应"；纵然做了千百件荣耀的事，但有一件事足以令自己蒙羞，这是创业中的"短板效应"。

对于对手或者怨恨你的人，最好的办法不是针锋相对，锱铢必较，而是想办法冰释前嫌、化敌为友。武将廉颇忌恨文臣蔺相如地位在自己之上，故意与他作对。蔺相如以国事为重，处处谦让，终于感动了廉颇。廉颇负荆请罪，将相和解。

---

① 邀：取得、希求。
② 释：消除、消散。
③ 丑：这里是耻辱的意思。

对待怨恨的态度，考验一个人的修养，亦考验一个人的情商。

二三

落落[①]者，难合亦难分；欣欣[②]者，易亲亦易散。是以君子宁以刚方[③]见惮[④]，毋以媚悦取容[⑤]。

【翻译】

孤傲的人，跟人难以相处也难以分开；和悦的人，跟人容易亲近也容易疏远。所以君子宁可凭刚正让人畏惧，也不靠讨好让人喜欢。

【赏析】

取悦你的人，不一定对你有益。比如一个人对你说尽甜言蜜语，他可能只是利用你，关键时刻会放冷箭，甚至落井下石。让你尴尬的人，也许正是帮助你的“贵人”。比如魏徵屡屡在朝堂上让唐太宗下不来台，却对唐帝国提出许多中肯的建议。

与人交往，要交那些真心相待的人。孤傲的人不容易接近，一旦结交，就是肝胆相照的朋友。看起来和颜悦色、容

---

① 落落：这里指孤傲与人合不来。
② 欣欣：原意是喜悦，这里指和悦可亲。
③ 刚方：刚直方正。
④ 惮（dàn）：畏惧、害怕。
⑤ 容：高兴、喜欢。

易接近的人，一见面就能成为朋友，但这样的朋友只是泛泛之交，很难长久。泛泛之交可有可无，肝胆相照弥足珍贵，要用一辈子去呵护。

孤傲刚正的人，好比一剂良药，虽然苦口，但有益健康；随和谄悦的人，则像一块糖果，甘甜可口，吃多了会不适。

二四

意气[①]与天下相期[②]，如春风之鼓畅[③]庶类[④]，不宜存半点隔阂之形；肝胆[⑤]与天下相照，似秋月之洞彻[⑥]群品[⑦]，不可作一毫暧昧[⑧]之状。

【翻译】

以豪爽的气概与天下人真诚相约，如春风鼓动使万物通畅，不应该存在半点隔阂；以真挚的心意与天下人坦诚交往，像秋月照耀使万物透彻，不应该有丝毫模糊。

【赏析】

人是群居动物，需要朋友慰藉心灵、温暖人生。我们一

① 意气：志向、气概。
② 相期：相约。
③ 鼓畅：鼓动并使之畅通无阻。
④ 庶类：万物。
⑤ 肝胆：肝和胆的总称，喻指真挚的心意。
⑥ 洞彻：指通达事理，深入透彻了解事物规律。
⑦ 群品：指万事万物。
⑧ 暧昧：模糊，态度不明朗。

生会遇到很多人，大多如浮萍流水，走过、错过，浅浅的没有留下任何痕迹。能够刻骨铭心，成为至交好友的，要么意气相投，要么肝胆相照。

意气相投者，如春风鼓畅万物，给人带来鼓舞。他不计较得失，不在意前面是崎岖险要的山路，还是惊涛骇浪的江河，能和你一道面对困难和挫折，从不气馁，从不放弃。

肝胆相照者，像秋月洞彻人心。他光明磊落，以真心相待，以真情相托，为你忍辱负重、拔刀相助、至死不渝。

人生多艰，得一知己，可以坐谈风月，可以仗剑天涯，可以推心置腹，同甘共苦，夫复何求！

二五

仕途虽赫奕①，常思林下②的风味，则权势之念自轻；世途虽纷华③，常思泉下④的光景，则利欲之心自淡。

【翻译】

仕途虽然显赫，经常想一想退隐山林的风味，贪图权势的念头自然能够看轻；世间的经历虽然繁华，经常想一想死后黄泉的光景，追求私利的心念自然能够淡薄。

---

① 赫奕：光辉炫耀的样子，显赫盛大。
② 林下：原指田野，引申为退隐之处。
③ 纷华：繁华、富丽。
④ 泉下：黄泉之下，指人死后所埋葬的地方，也指阴间。

【赏析】

有一种景色，烟花璀璨、纸醉金迷，在仕途叫显赫，在生活叫富足。世俗的风景让人流连，谁不希望花天酒地，谁不奢求一掷千金，谁不期盼春风得意，谁不希慕锦衣昼行？显赫繁华，本是人生百味中的体验，得之我幸。不过，如果把人生的要义全部压在显赫繁华之上，为此殚精竭虑、不择手段，那么就失去了人生的风味，犹如捡了芝麻丢了西瓜，得不偿失。人前显赫固然荣耀，然而隐逸的闲情才是人生真谛；世间的繁华虽然珍贵，然而想一想人生最后的归宿，这一切终是昙花一现，如五彩缤纷的气泡，转眼归于沉寂。所以珍惜当下，得失随缘，心无烦恼，才是养生之道。

二六

鸿①未至先援②弓，兔已亡③再呼矢④，总非当机⑤作用；风息时休起浪，岸到处便离船，才是了手⑥工夫。

【翻译】

大雁还没有到就拉开了弓，兔子已经逃走了再拿出箭，这些

① 鸿：大雁。
② 援：牵引、拉。
③ 亡：逃走。
④ 矢：箭。
⑤ 当机：抓住时机。
⑥ 了手：了结完成，此处指把事情做圆满。

都是没有抓住时机的表现；风停了就不要再掀起波浪，船到岸了就马上离开，这才是把事情做圆满的手段。

【赏析】

人无论秉性天赋如何，命运总有几次招手的机会，关键看是否能够把握得住。七十二岁的姜子牙听说周文王到渭水边狩猎，故意用没有钓钩的鱼竿垂钓，成功吸引周文王的注意，由此受到重用，古稀之年建功立业。春秋时宋襄公在泓水截击楚军，楚军渡河过程中，宋国大司马公孙固建议乘机攻击，宋襄公不听。等楚军全部过河，双方交战，宋军大败，宋襄公重伤而死。一成一败两个事例，说明机会总是稍纵即逝，当机立断才可能成为人生赢家。

兔子走了未必再来，风停了刚好出海。不要为已经逝去的惋惜，抓住下一个机会，人生才会有与众不同的精彩。

二七

师古①不师今，舍举世共趋②之辙；依法③不依人，遵④时豪⑤耻问⑥之途。

---

① 师古：效法古代。
② 趋：追求、追逐。
③ 法：这里指古代经典著述或行为准则。
④ 遵：沿着、遵循。
⑤ 时豪：当时的豪杰。
⑥ 耻问：不屑于过问，这里指不屑一顾。

【翻译】

效法古代而不效法当今，舍弃世人共同追逐的道路；依据准则而不依据人言，遵循当时俊杰不屑一顾的道路。

【赏析】

儒士们大多推崇前代乃至远古的政治文化，认为古时候民风淳朴、君主仁治，而当下之人功利、浮躁而且暴虐。所以他们不认同世俗选择的道路，追慕理想中的“尧天舜日”。师古的重要途径，是从古圣先贤的经典著述中寻找为人处世的法则，即所谓“依法不依人”。

师古不师今，依法不依人，本质上是寻找真性情、真道德、真文化，而不是妄想回到古代，回到小国寡民。

二八

随缘[①]便是遣缘[②]，似舞蝶与飞花共适；顺事自然无事，若满月偕盂水[③]同圆。

【翻译】

顺应外缘，相当于排遣了外缘，就像飞舞的蝴蝶与飘洒的花朵一样和谐；顺应事情的发展，相当于事情没有发生，就像满月

---

① 随缘：指顺应机缘，顺其自然。缘，指身心对外界的感触。

② 遣缘：排遣对身心产生影响的外界事物。

③ 盂水：盂是一种盛水的容器。盂水的意思是指，如果盂是圆的，里面盛的水也是圆的。

与盆盂里装的水一样都是圆的。

【赏析】

人在得失之间，都希望多得少失；在做事情时，都希望合乎心意。但世界不完美，大多时候都难遂所愿。如何让心与外物之间和谐共适？那就是顺其自然！若心中有日月，又何必在意天气的阴晴冷暖？若内心对得与失不再耿耿于怀，又何必在意外物的去留增减？若能顺势而为，又何必在意事情的波澜起伏？

心无增减，得失随缘。大道至简，人生不过顺应机缘，随遇而安。

二九

淡泊之守[①]，须从浓艳[②]场中试来；镇定之操，还向纷纭[③]境上勘[④]过。不然，操持未定，应用未圆，恐一临机登坛[⑤]，而上品禅师又成一下品俗士矣。

【翻译】

淡泊的操守，必须经过世俗诱惑的考验；镇定的品格，还要在纷繁杂乱中进行鉴定。否则，若是操守不坚定，处世不圆融，

---

① 守：操守。

② 浓艳：色彩浓重艳丽。这里指世俗的各种诱惑。

③ 纷纭：众多而杂乱。

④ 勘：鉴定。

⑤ 登坛：登上坛场。这里指登坛布道，讲经授课。

恐怕等到有机会登坛布道的时候，又会从上等的禅师变成下等的世俗之人了。

【赏析】

战国时，赵括的父亲赵奢是赵国名将。赵括自小熟读兵书，谈论打仗头头是道，当时的人都认为赵括的军事造诣已经超过了他的父亲。后来赵国和秦国爆发长平之战，双方对峙一年多，难分胜负。赵国急于求成，派从没有战争经验的赵括前去指挥这场大型战役，结果赵军大败，赵括战死，落下了“纸上谈兵”的笑柄。

同样，治学也要防止纸上谈兵。淡泊明志，经历过世俗繁华的考验才是真淡泊；不乱于心，经历过世事纷争才知道谁能保持镇定。

三〇

求见知[①]于人世易，求真知[②]于自己难；求粉饰[③]于耳目易，求无愧于隐微[④]难。

【翻译】

求被世人了解容易，求真正了解自己很难；求掩盖别人的耳

---

① 见知：被人了解。
② 真知：这里是真正了解的意思。
③ 粉饰：装饰、打扮，借指掩盖。
④ 隐微：隐约细微的地方。

目容易，求隐约细微处自己问心无愧很难。

【赏析】

人最难认识的，是自己；最难欺骗的，也是自己。

人们凭借一双慧眼认识世间万物，很容易看清别人的长处和不足。但对于自己，自负的人总是放大优点、漠视缺点，不愿正视自身存在的问题；自卑的人恰恰相反，看不到自己的潜力，在机会来临的时候失之交臂。

人们用有形的服装和妆容粉饰自己，用无形的声誉头衔美化自己，尽力掩盖缺陷，夸耀成就，抬高地位，巩固权势。然而，夜深人静、窗寒炉暖之时，拷问自己的内心，总会上下忐忑、愧疚不安。

有敢于剖析问题的精神，才能正视自我；有勇于坦诚的品格，才能无愧于隐微。

三一

廉所以[1]戒贪。我果不贪，又何必标一廉名，以来[2]贪夫[3]之侧目。让所以戒争。我果不争，又何必立一让的[4]，以致暴客[5]之弯弓。

---

① 所以：用来。

② 以来：以此引来，从而引来。

③ 贪夫：贪婪的人。

④ 的：靶子。

⑤ 暴客：暴徒、强盗。

【翻译】

廉洁是用来戒除贪婪的。我如果真的不贪婪，又何必标榜廉洁的名声，从而引来贪婪的人仇恨。谦让是用来戒除争夺的。我如果真的不争夺，又何必树立谦让的靶子，从而招致强暴之徒攻击。

【赏析】

物欲和名声是人生绕不开的两大诱惑。物欲犹如罂粟，虽鲜艳妖冶，但世人多知其危害，因此能够保持警惕。名声好比美酒，少饮微醺，多饮忘乎所以，常饮招灾致病。

名声之害，常在不知不觉之间，美名尤其如此。譬如廉洁的名声，容易招致贪婪的人仇恨；譬如谦让的名声，容易招致强盗的箭矢。

高尚是高尚者的墓志铭，本不应该有名声这个副产品。如果把高尚作为攫取名声的砝码，既违背了高尚的要义，也会将自己置于不测之渊。

三二

无事常如有事时提防，才可以弥[1]意外之变[2]；有事常如无事时镇定，方可以消局中之危。

---

① 弥（mǐ）：通“弭”，平息、消除。

② 变：这里指变故。

【翻译】

没有事时要像有事一样做好准备，才可以消除意外的变故；有事的时候要像没事一样镇定，才可以消除当事者的危险。

【赏析】

没事时不惹事，但一定要保持警惕，防止意外变故。有事时不怕事，要勇敢面对，迎难而上，处变不惊，临危不乱。秦王贪图赵王手里的和氏璧，扬言用十五座城池换取。蔺相如持和氏璧出使秦国，秦王却出尔反尔，绝口不提十五座城池的事情。蔺相如说："如果大王不是真心交换，这块宝玉将和我的脑袋一起撞碎在殿中的柱子上。"蔺相如的大义凛然、从容应对，保住了和氏璧，也保住了赵国的尊严。

不惹事和不怕事之间，是认真负责的做事态度，扎实细致的办事风格和栉风沐雨的人生历练。

三三

处世而欲人感恩，便为敛怨[①]之道；遇事而为人除害，即是遵利[②]之机。

【翻译】

处在世上一心想要别人感恩戴德，便是招惹怨恨的途径；遇

---

① 敛怨：招惹怨恨。

② 遵利：指得到利益。

到事情一心想为别人消灾解祸，就是得到利益的机会。

【赏析】

利与弊是事物矛盾对立的两面，但二者又可以相互转化。恩与仇也是如此。

春秋时期，宋庄公帮郑国公子突夺取君位，条件是奉送三座城池、大量金钱、白璧百双以及每年进贡粮食。公子突心中不满，得到君位后，与宋庄公反目成仇，反而派兵攻打宋国。宋庄公帮助公子突，是希望公子突对自己感恩戴德，不料成为招惹怨恨的由头。

齐国国相孟尝君派门客冯谖去薛地收债，冯谖不但没有把债收回，还把债契全部烧了。后来孟尝君落难，退居薛地，当地老百姓都非常拥戴他。孟尝君“消除”了穷人的债务，反而得到了利益。

如果施恩者不图报，受恩者不负义，世人皆可为君子矣。

三四

君子严如介石[①]，而畏其难亲，鲜[②]不以明珠为怪物而起按剑[③]之心；小人滑如脂膏[④]，而喜其易合，鲜不以毒

---

① 介石：像石头一样耿直，比喻操守坚贞。
② 鲜：少。
③ 按剑：用手握剑，比喻拔剑之势。
④ 脂膏：油脂。

螫[1]为甘饴[2]而纵染指之欲。

【翻译】

君子的威严像顽石，人们因害怕他而难以亲近，很少有不将明珠当成怪物而产生拔剑的念头；小人圆滑像油脂，人们因喜欢他而容易相处，很少有不把毒虫分泌的汁液当成美味而放纵染指的欲望。

【赏析】

君子坦荡荡，不善于也不屑于谄媚迎合，让人感觉难以亲近。小人长戚戚，处世圆滑而诡计多端，容易跟人走到一块儿。因此，交友要谨慎，不能单纯跟着感觉走。益者三友：友直、友谅、友多闻。正直、诚信、见识广博的人，才是可交之人。损者三友：友便辟、友善柔、友便佞。歪门邪道、阿谀奉承、花言巧语的人，随时可能两面三刀、落井下石。

好人、坏人都不会写在脸上，所以需要擦亮慧眼，仔细分辨。

三五

遇事只一味[3]镇定从容，纵纷若乱丝，终当就绪；待人

① 毒螫（shì）：毒虫分泌的汁液。

② 甘饴：甜蜜的美味。

③ 一味：单纯、一直。

无半毫矫伪欺隐，虽狡[1]如山鬼[2]，亦自献诚[3]。

【翻译】

遇到事情一直保持镇定从容，即使局面像混乱的丝线，最终也可以理出头绪；对待他人没有半点矫饰虚伪、欺骗隐瞒，即使对方像狡诈的山中精怪，也会甘心奉献诚意。

【赏析】

无论树木怎样旁逸斜出，总离不了它的根。待人接物也有一条“根”：处理事务当镇定从容，与人交往要真诚坦率。

成大事者，泰山崩于前而色不变，麋鹿兴于左而目不瞬。淝水之战中，前秦兵力远多于东晋，前线将士皆忐忑不安，宰相谢安却依旧下棋、游山、聚会，当胜利的消息传来，他只淡淡地说：“孩子们打败敌人了。”

欲求人者，费尽心机不如直截了当。物理学家爱因斯坦成名后，很多人要求采访或者为他画像，都被他拒绝了。据说有位画家恳请爱因斯坦说：“我迫切需要靠这幅画卖钱。”爱因斯坦有感于画家的真诚，破例同意了画家的要求。

---

① 狡：狡猾、狡诈。
② 山鬼：一种山中的精怪。
③ 献诚：奉献诚意。

三六

肝肠[1]煦[2]若春风，虽囊[3]乏一文，还怜茕独[4]；气骨[5]清如秋水，纵家徒四壁，终傲王公。

【翻译】

内心像春风般温暖的人，即使口袋里没有一文钱，依然会怜悯孤独无依的人；气节风骨像秋水般清澈的人，纵然家徒四壁，也定会傲视王公贵族。

【赏析】

有一种性格叫肝胆相照。他是人间四月天，点亮了希望，播撒着爱和温暖。这样的朋友，虽不会锦上添花，但一定会雪中送炭。他用口袋里仅有的一文钱，购买一份古道侠肠，为你种下整个春天。

有一种气节叫清若秋水。他广仲尼之闻，重伯夷之义，却傲视王公，蔑视权势。富贵不能淫，威武不能屈。他物质上家徒四壁，精神上却富有四海。

前一种可以称为朋友，后一种可以尊为导师。

---

① 肝肠：这里指内心。

② 煦（xù）：温暖。

③ 囊：口袋。

④ 茕（qióng）独：孤独。

⑤ 气骨：气节风骨。

三七

讨了人事[①]的便宜，必受天道[②]的亏；贪了世味[③]的滋益[④]，必招性分[⑤]的损。涉世者宜审择之，慎毋贪黄雀而坠深井[⑥]，舍隋珠而弹飞禽[⑦]也。

【翻译】

讨取了人情事理上的便宜，必然要吃天道的亏；贪占世间情分的滋补，一定招致自然天性的损伤。经历世事的人应审慎做出选择，不要因贪图黄雀而坠入深井，不要为弹飞禽而舍弃宝珠。

【赏析】

楚国人卞和得到一块未经雕琢的玉，把它奉献给楚厉王。雕琢玉器的人说："这是石头。"厉王下令砍去卞和的左足。武王即位，卞和又献玉，雕琢玉器的人依然说是石头，武王下令砍去卞和的右足。文王即位，卞和抱着玉在荆山下哭了三天三夜，泪干血流。文王于是派雕琢玉器的人剖开玉，发现果然是宝玉，便用它制成了历史上珍贵的和氏璧。

---

① 人事：人情事理。

② 天道：天理，自然的规律。

③ 世味：世情，人情世故。

④ 滋益：滋养补益。

⑤ 性分：天性。

⑥ 贪黄雀而坠深井：猎人准备攻击树上的黄雀，却不知道脚下即将踏入深不可测的陷阱。寓意有人准备攻击别人，却不知道自己已经陷入危险境地。

⑦ 舍隋珠而弹飞禽：隋珠指隋侯的名珠，用隋珠做子弹去打飞禽，比喻得不偿失。

厉王和武王不识宝玉，而世上庸碌的人，更分不清哪些是顽石，哪些是宝玉。譬如有的人为了黄雀坠入深井，为了飞禽舍弃隋珠，为了人事亏欠天道，为了世味折损天性。

三八

费千金而结纳贤豪，孰若[1]倾[2]半瓢之粟，以济饥饿之人；构千楹[3]而招来宾客，孰若葺[4]数椽[5]之茅[6]，以庇孤寒之士。

【翻译】

费尽千金结交贤士豪杰，哪里比得上花费半瓢粮食，用来救济饥饿的人；建造千座房屋招徕宾客，哪里比得上修缮数间简陋的房屋，用来庇护孤苦寒冷的人。

【赏析】

同样是帮助人，一种叫锦上添花，一种叫雪中送炭。

春天，百花争艳，多开一枝固然增添了些许春色，但并不会引起太多关注。冬天，百花凋零，一枝红梅雪里斗艳，显得分外耀目。前者是锦上添花，后者谓雪中送炭。

---

① 孰若：何如，哪里比得上。
② 倾：倾倒、用尽。此处指花费。
③ 楹：房屋前厅的立柱，这里代指房屋。
④ 葺（qì）：修缮。
⑤ 椽（chuán）：原指放在檩上架着屋顶的木条，这里代指房屋间数。
⑥ 茅：茅屋，简陋的房屋。

锦上添花，是你风光的时候别人前来恭贺；雪中送炭，是你需要帮助的时候别人伸出援助之手。二者有云泥之别。

诸葛亮有济世安民之才，当时曹操势力正炽，诸葛亮却不愿出山帮助曹操，而选择了惶惶如丧家之犬的刘备。何也？帮助曹操是锦上添花，辅佐刘备乃雪中送炭。雪中送炭，别人受益最大，自己的价值也实现了最大化。

千百次锦上添花，不如一次雪中送炭。

三九

市恩①不如报德之为厚②，雪忿不若忍耻之为高，要誉③不如逃名④之为适，矫情⑤不若直节⑥之为真。

【翻译】

用小恩小惠讨好别人，不如报答恩德更厚道；洗雪心中的仇恨，不如忍受耻辱更高明；不遗余力获取荣誉，不如逃避名声更舒适；想方设法掩饰真情，不如守正不阿更真实。

【赏析】

如果知恩不报，还谈什么施恩于人？吕伯奢杀猪招待曹

---

① 市恩：用恩惠换来别人的好感。
② 厚：厚道。
③ 要誉：获取名誉。
④ 逃名：逃避名声。
⑤ 矫情：掩饰真情。
⑥ 直节：守正不阿的操守。

操，曹操担心被告发，残忍地杀死吕伯奢一家。曹操本一代枭雄，因为以怨报恩，留下千古骂名。

忍辱含垢是为了知耻后勇。越王勾践被吴王夫差打败，忍辱负重、卧薪尝胆，终于东山再起，灭亡吴国。

名声虚幻而空洞，会给人带来灾祸，不如安于平淡，甘于寂寞。西晋嵇康是"竹林七贤"之一，因名招祸，不愿结交权臣，被诬陷而死。

一句谎言要用一千句谎言掩饰，与其战战兢兢，不如坦坦荡荡做真实的自我。东汉陈寔在太丘为官时，一名小吏为了请假谎称母亲重病。陈寔发现后，说："欺君不忠，病母不孝。"于是严厉惩处了小吏。小吏矫情说谎，也是罪有应得。

四〇

救既①败之事者，如驭临崖之马，休轻策②一鞭；图垂成③之功者，如挽④上滩之舟，莫少⑤停一棹⑥。

【翻译】

挽救已经失败的事情，好像驾驭临近悬崖边上的马，不要轻

① 既：已经。
② 策：鞭打。
③ 垂成：接近成功，将要完成。
④ 挽：拉、牵引。
⑤ 少：稍微。
⑥ 棹（zhào）：船桨。

率挥打马鞭；图谋将要完成的功绩，像牵拉驶上河滩的船，不能稍微停下船桨。

【赏析】

中长线赛跑，最后的冲刺很重要。对于将要成功或者失败的事，收官之战也很重要。

当失败已成定局，需要小心翼翼地收拾残局，不要心有不甘，孤注一掷，那样只会跌得更深，摔得更疼。譬如《三国演义》中，马谡痛失街亭，蜀军已败。诸葛亮没有继续强行作战，而是通过“空城计”从容撤军。

当成功即将来临，需要加把劲完成收尾，不能有丝毫松懈，否则可能前功尽弃。春秋末年晋国内乱，智氏联合魏氏、韩氏围攻晋阳的赵氏。当胜利在望的时候，智氏麻痹大意，被赵氏串通魏、韩两家反击，兵败身亡。

做事应善始善终，最后的勾画，才是点睛之笔。

四一

先达[①]笑弹冠[②]，休向侯门轻曳裾[③]；相知[④]犹按剑，莫从世路暗投珠[⑤]。

---

① 先达：先于自己发达显赫之人。

② 弹冠：弹去帽子上的尘土，准备做官。

③ 曳裾（jū）：拖着衣襟。比喻依靠权贵。

④ 相知：互相知心的朋友。

⑤ 投珠：投掷宝珠。

【翻译】

先期显达的人嘲笑即将上任的新人，所以不要轻率地奔走于王侯权贵门下；相互知心的朋友还按着剑柄准备搏杀，因此不要在世俗的道路上暗中投掷宝珠。

【赏析】

王维有诗云："白首相知犹按剑，朱门先达笑弹冠。"相交到老的朋友反目成仇，官场中的前辈嘲笑后来者。这里将两句诗进一步延伸，化为哲理深邃的劝世良言。

官场无情，寄食于权贵之门，换来的肯定是卑微和屈辱。人心莫测，俗世没有可以信赖的朋友，莫要明珠暗投，轻易向人交付真心。

自古官场尔虞我诈，倾轧流血事件屡见不鲜。人前只说三分话，不可全抛一片心，多一份警觉戒备，也是自我保护的无奈之举。

四二

杨修[①]之躯，见杀于曹操，以露己之长也；韦诞之墓，

---

① 杨修：字德祖，三国魏人，曹操丞相府仓曹属主簿。据《三国演义》，曹操征伐汉中，传口令为"鸡肋"。杨修在军中说："鸡肋，食之无味，弃之可惜。丞相马上要收兵了。"曹操遂以扰乱军心为由杀了杨修。

见伐于钟繇[①]，以秘[②]己之美也。故哲士多匿采[③]以韬光[④]，至人[⑤]常逊美而公善[⑥]。

【翻译】

杨修被曹操杀害，是因为显露了自己的长处；韦诞的墓被钟繇盗挖，是因为隐匿了自己的好东西。所以智慧的人敛藏光彩，隐匿自己的才华，超脱的人常常见好事退让，让大家共享。

【赏析】

杨修和韦诞招致灾祸，一个因为“露”，一个因为“秘”。得祸原因看似截然相反，其实源出一辙，那就是遭人嫉妒。

聪明的人处处表现抢眼，掩盖别人的光芒，自然遭受怨恨。狭隘的人不懂疏财之道，勾引别人的欲望，自然面临险境。

表现自己，是小聪明，隐藏自己，是大智慧。善于获得，是才干，善于舍弃，才是境界。有人说，企业家获得尊重不

---

① 韦诞：字仲将，三国魏人，书法家。钟繇：字元常，三国魏人，政治家、书法家，官至太尉。传说韦诞得到蔡邕《笔势》一书，钟繇向他借阅，韦诞不肯，钟繇因此气得吐血。韦诞死后，钟繇花重金雇佣盗墓贼挖掘韦诞墓，终于得到了这本书。

② 秘：隐藏、隐匿。

③ 匿采：隐匿自己的才华。

④ 韬光：敛藏光彩，比喻隐匿声名才华。

⑤ 至人：指超凡脱俗，达到无我境界的人。

⑥ 公善：造福公众的善事，此处指大家共享好事。

是因为能赚钱，而是因为会花钱，也是这个道理。

四三

少年之人，不患[1]其不奋迅[2]，常患以奋迅而成鲁莽[3]，故当抑其躁心[4]；老成之人，不患其不持重[5]，常患以持重而成退缩，故当振其惰气[6]。

【翻译】

年少青春的人，不担心他们不振奋，常常担心因为振奋而变得轻率行事，所以应当抑制他们浮躁的心；老练成熟的人，不担心他们不稳重，常常担心因为稳重而变得畏缩不前，所以应当振奋他们懒惰的习气。

【赏析】

法无定法，当因人而异，对于管理者来说，尤其如此。

年少青春的人，身体和心理都处于蓬勃向上的阶段，他们敢闯敢拼、急于表现，缺少的是稳重，因而有浮躁的毛病。可以严格要求，让其经历一些挫折，以用其所长，补其所短。

---

① 患：担心、担忧。
② 奋迅：鸟飞或兽跑迅疾而有气势，形容精神振奋，行动迅速。
③ 鲁莽：言行考虑不仔细，轻率行事。
④ 躁心：浮躁的心。
⑤ 持重：行事慎重，不轻浮，这里指稳重。
⑥ 惰气：惰性，懒惰的习气。

老练成熟的人，身体和心理都处于沉稳平和的阶段，他们思虑周密、顾全大局，缺少的是振作，因而有懒惰推卸的习气。可以多压担子，鼓励他们振作精神，用责任管理和宽松授权的手段逼其奋发有为。

四四

舌存常见齿亡，刚强终不胜柔弱；户[1]朽未闻枢[2]蠹[3]，偏执岂能及圆融？

【翻译】

舌头还在，却经常见到牙齿已经掉了，刚强终究不能战胜柔弱；门扇腐朽，却没有听说门轴蛀蚀，偏执怎么能敌得过圆融呢？

【赏析】

无极生太极，太极生阴阳。一般认为，阳刚强盛，阴柔软弱，阳刚胜过阴柔。但细究起来，生活也有悖论，譬如舌头柔软，软到能屈能伸，属阴；牙齿坚硬，硬到能咬碎食物，属阳。但牙齿掉光的时候，舌头还依然存在。譬如门扇直来直去，属阳；门轴转来转去，属阴。但偏执的门扇被虫蛀坏，圆融的门轴却不会腐朽。

---

① 户：门扇。
② 枢（shū）：门上的转轴。
③ 蠹（dù）：蛀蚀。

阴阳之理用到生活上，退让不代表怯弱，寸土必争不一定能够占到便宜。一时的得意未必长久，经常吃亏未必没有福报。阴阳可以转化，很多时候，不争是争，无为是大有作为，糊涂是智慧，谦让是最好的进身之阶。懂得阴阳变化，就悟透了人生的起承转合。

第三卷　评议

一

物莫大于天地日月，而子美[①]云：“日月笼中鸟，乾坤水上萍。”事莫大于揖逊[②]征诛[③]，而康节[④]云：“唐虞揖逊三杯酒，汤武征诛一局棋。”[⑤] 人能以此胸襟眼界，吞吐六合[⑥]，上下千古，事来如沤[⑦]生大海，事去如影灭长空，自经纶万变，而不动一尘矣。

【翻译】

物体没有比日月天地更大的，但杜甫诗云：“日月笼中鸟，乾坤水上萍。”事情没有比禅让征伐更大的，但邵雍诗云：“唐虞揖逊三杯酒，汤武征诛一局棋。”人们能够凭借这样的胸襟和眼界，容纳天地四方，探寻千古历史，事情到来如同大海里出现的水泡，事情过去如同影子消失在天空，所以应对天下各种变化，不需要移动一粒微尘。

【赏析】

日月星辰是宇宙中最大的物体，政权更迭是人世间最大

---

① 子美：唐朝诗人杜甫，字子美。

② 揖逊：犹揖让、禅让。

③ 征诛：征伐、讨伐。

④ 康节：北宋理学家邵雍，字尧夫，谥康节。

⑤ “唐虞”句：出自邵雍《伊川击壤集·首尾吟》。唐虞，唐尧与虞舜的并称。唐尧是上古时期部落联盟的首领，年老后，因为虞舜贤良，将首领的位子禅让于他。汤武，商汤与周武王的并称。夏朝末期君主残暴，商汤兴兵讨伐，灭夏建商；商朝末期君主残暴，周武王兴兵讨伐，灭商建周。

⑥ 六合：东、西、南、北、上、下谓之六合，指天地四方。

⑦ 沤（ōu）：水泡。

的事件。对于伟大的人物，这些只在茶余饭后，谈笑之间。纵横九万里，上下五千年，只是笔底烟花、波光云影。

相传朱元璋出联“风吹马尾千条线”，长孙建文帝对曰“雨打羊毛一片膻”，燕王朱棣对曰“日照龙鳞万点金”。二者气象截然不同，后来燕王果然篡夺了建文帝的江山。

所以成大事者，须有大格局、大胸襟、大境界。“大梦谁先觉，平生我自知”，是大格局；“遥想公瑾当年，谈笑间，樯橹灰飞烟灭”，是大胸襟；“何妨吟啸且徐行，一蓑烟雨任平生”，是大境界。

比大海更宽广的是天空，比天空更宽广的是人的胸怀。个人虽渺小如微尘，胸襟却可以装得下星空大海。

二

尼山[①]以富贵不义，视如浮云；漆园[②]谓真性之外，皆为尘垢。夫如是，则悠悠[③]之事，何足介意[④]？

【翻译】

孔子认为富贵是不义的，把它当作天上的浮云；庄子认为除

---

① 尼山：尼山原名尼丘山，位于山东曲阜东南。相传孔子父母在此野合生孔子，所以孔子名丘字仲尼，后人便以尼山代称孔子。

② 漆园：古代政府设立的专门种植漆树的园子。史载庄子曾为漆园吏，后世遂以漆园代称庄子。

③ 悠悠：指众多。

④ 介意：放在心上。

了人的本性之外，其余都是尘土污垢。如果真是这样，世上那么多事，有什么值得放在心上呢？

【赏析】

世俗之人最看重的，莫过于富贵。然而伟大的人物，会把毕生的精力关注到伟大的目标上，而不是被富贵、权势和琐碎俗事羁绊。民国张伯驹，出生于显赫之家，自幼锦衣玉食。家里人想让他做军官或者开银行，但他只喜读书、写诗、作画、收藏古董。他倾尽家财购买字画，生活却极为素淡。即使自己被绑架，也嘱托夫人不得变卖字画。最后，他将自己毕生所藏全部捐献给故宫，分文不取。

当然，孔子以富贵为不义，并不是反对富贵，而是特指不义之富贵。《论语·述而》云："富而可求也，虽执鞭之士，吾亦为之。"圣人反对的，是把精力浪费在没有意义的俗事上，从而失去了人生的真性情。

三

大恶多从柔处①伏②，哲士③须防绵里之针④；深仇常自

---

① 柔处：温和、软弱的地方。
② 伏：潜伏、潜藏。
③ 哲士：贤明的人。
④ 绵里之针：棉絮里面的针。比喻外貌和善，内心刻毒。

爱中来，达人[1]宜远刀头之蜜[2]。

【翻译】

严重的恶行大多在温和的地方潜伏，贤明的人必须提防棉絮里的钢针；深重的仇恨常常从恩爱中来，通达的人应该远离刀刃上的蜜汁。

【赏析】

平时性格温和、近似柔弱的人，一旦爆发，便会无所顾忌，可能对人造成更大的伤害。因为他心底的怒火压抑了太久，燃烧起来玉石俱焚，不可遏制。

平时相亲相爱的人，更容易反目成仇。比如父母溺爱子女，到无法管教的地步，会把这种爱转化为失望，甚至是仇恨。或者父母无法继续满足子女的要求时，子女也会因爱生恨。

信任要适度，即使对待温和的人，也要提防突然爆发的“小宇宙”。爱要适度，即使亲如父母子女、兄弟姐妹，也要保持安全距离，有所付出，有所保留。

① 达人：通晓事理的人。

② 刀头之蜜：刀刃上的蜜汁。比喻因贪小利而冒大风险，这里指隐藏着的危险。

四

爱[1]是万缘[2]之根，当知割舍；识[3]是众欲之本，要力[4]扫除。

【翻译】

爱是各种因缘的根本，应当懂得割舍；识是各种欲望的源头，要尽力扫除。

【赏析】

爱是人类最美好的语言，如果不能掌握分寸，适可而止，也会成为苦、恼、忧、悲的根源。

因爱生恨、因爱生忧、因爱生惧、因爱生怨、因爱生悲，都是因为不懂割舍的缘故。如父母对子女的爱，如果不能把握分寸，担心孩子学习成绩不好，就会生忧；担心孩子出门发生事故，就会生惧；面对孩子外出求学无法承受分离，就会生怨；而孩子长大回报达不到期望目标，就会生恨；凡此种种，最后因爱酿成悲剧，成为彼此伤害的缘由。

孩子需要成长，不可让爱成为绊脚石。

---

① 爱：爱在佛教中是十二因缘之一，谓生起贪爱等欲望。

② 缘：同“因”一样，都是事物生起的条件。

③ 识：指人的意识、妄想。

④ 力：尽力、竭力。

五

作人要脱俗，不可存一矫俗[①]之心；应世[②]要随时[③]，不可起一趋时[④]之念。

【翻译】

做人要超脱世俗，但不应该存在故意违背世俗的心思；应付世事要顺应潮流，但不应该产生迎合潮流的念头。

【赏析】

脱俗与矫俗，随时与趋时，看似相似，其实大为不同。

脱俗者，超脱世俗，脱离庸俗，比如不贪婪、不攀比、不虚荣；矫俗者，违背世俗，标新立异，比如故作清高、伪善、显摆。脱俗者修炼内心，目的是顺从天性，过得舒服；矫俗者注重外在，目的是引人注目，追求虚名。

随时者，顺应潮流，勇立潮头；趋时者，迎合时尚，随波逐流。顺时者做社会的推动者，目的是让世界更美好；趋时者做社会的泅渡者，目的是满足自己的一己私欲。

---

① 矫俗：故意违背世俗，标新立异。

② 应世：应付世事。

③ 随时：顺应潮流。

④ 趋时：迎合潮流，迎合时尚。

六

毁人者不美，而受人毁者，遭一番讪谤[①]便加一番修省，可以释冤[②]而增美；欺人者非福，而受人欺者，遇一番横逆[③]便长一番器宇[④]，可以转祸而为福。

【翻译】

诋毁他人不是美德，而被人诋毁者，遭受一番讥讽诽谤就会增加一番修身反省，可以去除冤屈而且增益美德；欺侮他人者没福分，而被人欺侮者，遭遇一番横祸厄运就会增长一番气度胸襟，可以转移灾祸而且增加福分。

【赏析】

人们都不愿受诋毁、被欺侮，但往往毁人者自毁，欺人者自欺，何也？有的人在小事上得到利益，难免洋洋得意，从而失去道德，自我膨胀，沦落为丑恶而庸俗的小人。被诋毁和欺侮的人，只要能正确对待，修身反省、锐意进取，一定能在道德修为和人生境界上更上一层楼，看见更博大、更壮美的风景。

战国时苏秦外出求仕，屡屡碰壁，穷困潦倒。回到家里，妻子不愿为他缝补衣服，嫂子不愿为他下厨做饭，父母不愿

---

① 讪谤：讥讽诽谤。
② 释冤：释放无罪被冤之人。这里指洗刷遭受诽谤带来的冤屈。
③ 横逆：不顺利，横祸厄运。
④ 器宇：度量、胸怀。

跟他说话。受尽讥讪和欺侮的苏秦更加发奋读书，之后再次出山，同时佩六国相印，荣华富贵堪比君王。苏秦感慨地说："假使我当时在家乡有两顷良田，现在怎么能佩六国相印呢！"

七

天欲祸人，必先以微福骄[①]之，所以福来不必喜，要看他会受；天欲福[②]人，必先以微祸儆[③]之，所以祸来不必忧，要看他会救。

【翻译】

上天如果要祸害于人，一定先用微小的福运使他骄纵，所以福运来临不要高兴，要看他会不会消受；上天如果要降福于人，一定先用微小的灾祸警诫人，所以灾祸来临不要悲伤，要看他会不会解救。

【赏析】

古时，有位老人住在边境。他的马跑到了胡地，邻居前来安慰，他说："这说不定是好事呢。"不久，他的马带着许多胡人的良驹回来了。邻居又来祝贺，他说："这说不定是祸事。"胡马性烈，他的儿子骑马时摔折了腿。邻居又来安慰，他说："这怎么就不是一件好事呢？"果然，胡人入侵，朝廷

① 骄：骄傲放纵，使……骄纵。
② 福：造福、保佑。
③ 儆（jǐng）：使人警醒，不犯过错。

征兵，附近健壮的男子大多战死沙场。他的儿子因为残疾免于征战，得以保全性命。

祸兮福所倚，福兮祸所伏。要从福中看到祸的危险，从祸中看到福的希望，调整好心态，努力化解不利影响，为事物向好的方向发展创造条件。

八

荣与辱共蒂[①]，厌辱[②]何须求荣；生与死同根，贪生不必畏死。

【翻译】

荣耀和屈辱在同一根茎上，又何必厌恶屈辱而追求荣耀；生存和死亡在同一条根上，不必畏惧死亡而贪恋生命。

【赏析】

死亡是生命的归宿，每个人都逃脱不了，所以说生和死同根。既然生命最终必将走向死亡，又何必贪生怕死呢？

荣耀是世人乐于追求的，但屈辱是通往荣耀的路径，每一位荣耀者的背后大多有屈辱的经历。勾践如果不能忍受为吴王养马尝便、卧薪尝胆的屈辱，怎么能战胜强大的吴国？孙膑如果不能忍受膑刑的屈辱，怎么能有马陵之战的荣耀？司马迁如果不能忍受宫刑的屈辱，怎么能完成伟大的《史

---

① 共蒂：指两朵花并排长在同一根茎上。

② 厌辱：厌恶屈辱。

记》？

荣与辱共蒂，既然追求荣耀，就不要拒绝屈辱。

九

非理[1]外至，当如逢虎而深[2]避，勿恃格[3]兽之能；妄念[4]内兴，且儗[5]探汤而疾[6]禁，莫纵染指[7]之欲。

【翻译】

不合常理的事突如其来，应当像遇到老虎一样躲得远远的，不要依仗自己的本领同它格斗；不切实际的想法从内心产生，就好像触摸到开水一样要马上停下来，不要放纵自己非分获取的欲望。

【赏析】

世上没有免费的午餐，天上也不会平白无故掉下馅饼。对于凭空的“好事”，最好敬而远之，莫要染指。因为不合常理的获得，可能隐藏着巨大的陷阱，一旦坠入其中，恐越陷越深，无法自拔。就像吸毒，尝一口会有飘飘欲仙的感觉，

---

① 非理：不合常理，违背情理。
② 深：表示程度，这里是远的意思。
③ 格：打、击、格斗。
④ 妄念：不切实际的想法。
⑤ 儗（nǐ）：比拟、好像。
⑥ 疾：迅速、马上。
⑦ 染指：比喻插手获取不应得的利益。

但过后是生不如死的痛苦。

非礼勿视，非礼勿听，非礼勿言，非礼勿动。不切实际的幻想和不合常理的获取，都是罂粟之苗，或许能开出艳丽的花，但永远结不出甜美的果实。

一〇

鹩[①]占一枝，反笑鹏心奢侈[②]；兔营三窟，转嗤[③]鹤垒[④]高危。智小者不可以谋大，趣卑者不可与谈高，信然[⑤]矣！

【翻译】

鹪鹩只占用一根树枝，反而嘲笑大鹏志向远大；兔子营造三个洞穴，反而讥笑鹤鸟的巢穴又高又险。智力低微的人不能够跟他们谋划大事，志趣低下的人不能够同他们谈论高远的情怀，确实如此呀！

【赏析】

人一生的作为由什么决定？出身、环境、知识、志趣、格局等，缺一不可。

夜郎国王以为自己的国家是世界中心，这是环境决定的；陈胜和其他人一起耕地种田，说："苟富贵，勿相忘。"同伴

---

① 鹩（liáo）：鹪鹩，一种体型较小的鸟。
② 奢侈：这里指志向远大。
③ 嗤（chī）：讥笑、嘲笑。
④ 垒：这里指鹤的巢穴。
⑤ 信然：诚然，确实是这样。

们嘲笑他一个乡巴佬，怎么可能富贵，陈胜感叹“燕雀安知鸿鹄之志”！这是志趣决定的；苦力劳动者不可能设计制造出计算机芯片，这是知识决定的；项羽看到秦始皇车队，说“彼可取而代之”，这是格局决定的。

智小者不可以谋大，趣卑者不可以谈高。一个人的出身可能无法改变，格局却可以由自己造就。

一一

贫贱骄①人，虽涉虚骄②，还有几分侠气；英雄欺世③，纵似挥霍④，全没半点真心。

【翻译】

贫贱者敢于傲视他人，虽然涉嫌盲目自大，还有几分豪侠的气概；英雄如果欺骗世人，纵然看似洒脱，全然没有半点真诚的心意。

【赏析】

人穷志短，贫贱者处于社会底层，敢于傲视他人，需要极大的勇气，虽然不值得提倡，倒也有几分气概。英雄是强者，是社会秩序的塑造者，是世人崇拜的对象，如果他们用

① 骄：轻视、傲慢。
② 虚骄：无相应的才能或力量而盲目自傲。
③ 欺世：欺骗世人。
④ 挥霍：这里是奔放、洒脱的意思。

欺诈的手段诓骗世人，比如伪造行侠仗义的事迹，虚夸战场杀敌的功绩；即使听起来多么豪放洒脱，终究是可耻的行为，与贫贱者的虚骄之气决不能相提并论。

善待弱者，体现了社会的包容性。强者享受了社会给予的荣耀，像一个外表光鲜的苹果，如果果肉腐烂，只能被社会唾弃。

一二

糟糠[①]不为彘[②]肥，何事[③]偏贪钩下饵；锦绮[④]岂因牺[⑤]贵，谁人能解笼中囮[⑥]。

【翻译】

粗劣的食物不是为了把猪养肥，可为什么偏偏有鱼儿贪食钓钩下的鱼饵；华丽的绸缎不会因为包裹祭祀品而更昂贵，哪个人能了解笼中囮子诱捕同类时的感受呢？

【赏析】

糟糠能把猪养肥，鱼饵能引鱼儿上钩；华丽的绫罗绸缎可用来包裹即将被宰杀的牺牲，囮子可以诱捕同类。猪食糟

---

① 糟糠：穷人用来充饥的酒渣、米糠等粗劣食物。

② 彘（zhì）：猪。

③ 何事：为什么，何故。

④ 锦绮：华丽的丝织绸缎。先秦祭祀时，要在祭祀品上包裹丝绸。

⑤ 牺：古代作为祭品用的纯色牲畜。

⑥ 囮（é）：经过驯服后专门用来诱捕同类的鸟，称“囮子”。

糠，是为了生存；牺牲披上锦绮，或许是迫于无奈。对于上钩的鱼和被捕的鸟来说，是贪婪眼前的美食，还是贪恋为虎作伥的同类？鱼鸟无知，而人应当擦亮眼睛，不要让物质的欲望和生理的本能成为自投罗网的诱饵。

一三

琴书诗画，达士[①]以之养性灵，而庸夫徒赏其迹象；山川云物，高人[②]以之助学识，而俗子徒玩其光华[③]。可见事物无定品[④]，随人识见以为高下。故读书穷理[⑤]，要以识趣[⑥]为先。

【翻译】

琴瑟书籍、诗歌绘画，明智识理的人用它们陶冶性情，而平庸的人只会欣赏其表象；高山大川、云霞风物，见识卓绝的人用它们助长学识，而平凡的人只会玩赏其光鲜的外表。可见事物并没有固定的品格，而是随着人的见识而定出高下。所以研读书籍、探究道理，要把明白志趣所在作为首要目标。

【赏析】

琴书诗画能够陶冶性情，也能装点门面；山川云物能够

① 达士：明智识理，不同于流俗的人。
② 高人：指见识卓绝的人。
③ 光华：这里指外表鲜亮。
④ 定品：固定不变的品格。
⑤ 穷理：深入探究道理。
⑥ 识趣：明白志趣所在。

增长见识，也能成为炫耀的谈资。林黛玉见花落泪，焦大却只会关注贾府门前的石狮子。不同的人，修养不同，见识不同，对事物的理解也不尽相同。

一千位读者眼中有一千个哈姆莱特，人们对同一事物从不同的角度观察，会产生不同的联想，给予不同的评价。然而，外行人看热闹，看到的只是杀戮复仇，看不到复杂的人性，更感受不到作品带来的心灵震撼。同一部作品，同一处山川，欣赏者的见识难免有高低差别。

琴瑟有声，山川无言，阴晴冷暖，品者自知。

一四

美女不尚①铅华②，似疏梅之映淡月；禅师不落空寂③，若碧沼④之吐青莲。

【翻译】

美丽的女子不推崇粉饰装扮，好像淡淡的月光映照着疏朗的梅花；得道的禅师不感到空虚寂寞，好像碧绿的水池绽放青色的莲花。

【赏析】

真正的天生丽质，不惧洗尽铅华、素面朝天，那样才有

① 尚：推崇。

② 铅华：古代妇女用的化妆品，此处指粉饰装扮。

③ 空寂：空虚寂寞。

④ 碧沼：碧绿色的水池。

天然的风韵。夜色降临，月色如水，疏朗的白梅在淡淡的月光下更加素雅，清爽怡人。淡月疏梅正如素面美人，愈是本真，愈是动人。

禅师每日面对青灯黄卷，在空寂落寞中体会禅理妙境。就像池塘里盛开的莲花，不妖艳、不引人注目，然而细看之下，却绽放出勃勃生机。

非淡泊无以明志，非宁静无以致远。喧嚣热闹固然可以繁盛于一时，但只有在平淡朴素中才能体会到生命的深沉与厚重。

一五

廉官多无后①，以其太清也；痴人②每多福，以其近厚③也。故君子虽重廉介④，不可无含垢纳污之雅量；虽戒痴顽，亦不必有察渊⑤洗垢之精明。

【翻译】

廉洁的官员大多没有后福，因为他们太清白了；愚笨的人常常多有福运，因为他们近于厚道。所以君子虽然推崇廉洁耿直，但不能没有包容污垢的雅量；虽然不能愚昧无知，但也不一定要

---

① 后：这里指后福。

② 痴人：愚笨迟钝的人。

③ 厚：厚道。

④ 廉介：廉洁耿直。

⑤ 察渊：即“察见渊鱼”，能够洞察到深水里的鱼，比喻深察苛求。

有过分深察、不能容忍错误的精明。

【赏析】

为官清廉固然会受人们的赞誉。然而过分强调廉洁耿直，眼里容不得半点污垢，别人在自己眼里皆为道德瑕疵之人，结果廉官与世人两不相容矣。

水至清则无鱼，过于深察，看似精明，实则苛求。相反，糊涂木讷的人，容易与人相处。宽以待人，必有后福。官渡之战前夕，曹操同袁绍力量悬殊，他手下很多人暗中给袁绍写信，脚踩两只船。曹操获胜后，缴获了这些信件，命令全部烧毁，包括自己在内一律不准查阅。曹操的“糊涂”和“厚道”，保障了人心稳定和政局平稳。

清廉固然可贵，能含垢纳污，包容团结，才是社会之福、百姓之福，也是自己之福。“察见渊鱼者不祥”，说的就是这个道理。

一六

密则神气[①]拘逼[②]，疏则天真[③]烂漫[④]，此岂独诗文之工

---

① 神气：神韵、气度。

② 拘逼：因狭窄而遭受压迫。

③ 天真：简单、单纯。

④ 烂漫：坦率自然，不做作。

拙[①]从此分哉！吾见周密之人纯用机巧[②]，疏狂[③]之士独任性真[④]，人心之生死亦于此判[⑤]也。

【翻译】

细密时神韵受到压迫，疏放则显得单纯自然，难道只有诗词文章的优劣能从这里区分吗！我见周密的人全都工于心计，豪放的人都放任本性，人心的活力与沉寂也从这里能够区分呀。

【赏析】

书法上有“飞白”，绘画上有“留白”，诗歌讲究“灵动”，文章也要求“意犹未尽”。优秀的艺术作品，总是疏密有致，给观赏者留下丰富的想象空间。

人生亦当如是。该忘记的忘记，给记忆留白，触动灵魂的事件才会刻骨铭心。该看淡的看淡，给心绪留白，五彩斑斓的人生才会层次分明。该简单的简单，给心智留白，面对纷繁复杂的社会才能举重若轻。该舍弃的舍弃，给欲念留白，浮躁悸动的心灵才会清风徐来。苏格拉底说：“这个世界竟有那么多我不需要的东西。”只有删繁就简，才能释放人性的活力，做与众不同的自我。

---

① 工拙：谓优劣。

② 机巧：诡诈。指工于心计。

③ 疏狂：豪放，不受拘束。

④ 性真：真实的本性。

⑤ 判：区别、判定。

一七

翠筱[①]傲严霜，节纵孤高，无伤冲雅[②]；红蕖[③]媚秋水，色虽艳丽，何损清修[④]。

【翻译】

翠绿的细竹傲视严酷的风霜，气节纵然孤高，但没有损害淡雅；红色的荷花逢迎秋天的池水，颜色虽然艳丽，却没有减少清洁美好。

【赏析】

翠筱生长在严酷的风霜里，气节孤高；红蕖生长在盈盈的秋水中，色彩艳丽。它们所处的环境不同，品格各异，然而，都有着素雅和淡泊的品质。推而广之，大千世界，有些人生活在贫困苦厄之中，有些人生活在闹市繁华之中，有些人生活在清幽空寂之中；有些人性格随和，有些人性情孤僻，有些人喜欢夏花之绚烂，有些人喜欢秋叶之静美；这些都无损于追求人性的本真，探寻生命的要义。只要心中有明月，在黑暗中总能看到光辉；只要内心宁静，骄阳里自有凉爽的清风。

---

① 筱（xiǎo）：小竹、细竹。

② 冲雅：典雅、淡雅。

③ 红蕖（qú）：红色的荷花。

④ 清修：清洁和美好。

一八

贫贱所难，不难在砥节[①]，而难在用情[②]；富贵所难，不难在推恩[③]，而难在好礼[④]。

【翻译】

贫穷低贱的人难以做到的，不在于砥砺气节，而在于真心待人；富裕尊贵的人难以做到的，不在于布施恩泽，而在于遵循礼节。

【赏析】

所谓物极必反，贫贱者因为弱小，往往有强烈的自尊心，他们砥砺气节，勤奋磨炼，努力使自己强大起来。最自尊的人也最自卑，表现在接人待物上，害怕受到伤害，处处提防别人，不敢付出真心。而富贵者容易不自觉地流露出优越感，他们往往不计钱财，广施恩泽。然而这种优越感表现在待人接物上，就是自视高人一等，不能遵循礼节、平等待人。

贫贱者不自卑，富贵者不自矜。以平等的心态要求自己，对待别人，才能弥补自身不足，展现最好的自我。

---

① 砥节：砥砺气节，磨炼操守。
② 用情：以真实的感情相待。
③ 推恩：布施恩泽，施恩惠于他人。
④ 好礼：遵循礼节。

一九

簪缨[①]之士，常不及孤寒[②]之子可以抗节[③]致忠；庙堂[④]之士，常不及山野[⑤]之夫可以料事烛理[⑥]。何也？彼以浓艳损志，此以淡泊全真[⑦]也。

【翻译】

高官显宦，常常比不上出身低微的人能够坚守节操、奉献忠诚；朝廷大臣，常常比不上山野民间的人能够处理事务、考察事理。为什么呢？前者因为锦衣玉食损害了志向，后者因为清贫寒素保全了本性。

【赏析】

达官贵人，有权有势、养尊处优，时间长了，不思进取、不务正业，不知民间疾苦，淡忘世情事理，逐渐成为寄生一族。譬如清朝的八旗，本是社会军事组织，士兵以一当十，所向披靡，威震四海。然而在夺取天下之后，八旗子弟成为特权阶层，渐渐腐化堕落，骑射荒废，战斗力丧失殆尽。相反，山野孤寒之士在恶劣的生存环境中，发愤图强，往往有

---

① 簪缨：古代达官贵人的冠饰。后借指高官显宦。

② 孤寒：出身低微。

③ 抗节：坚守节操。

④ 庙堂：太庙的明堂，古代帝王祭祀、议事的地方。后代指朝廷。

⑤ 山野：代指民间。

⑥ 烛理：考察事理。

⑦ 全真：保全本性。

所作为。“舜发于畎亩之中，傅说举于版筑之间，胶鬲举于鱼盐之中，管夷吾举于士，孙叔敖举于海，百里奚举于市”，都是生于忧患，逆袭奋起的典范。

当然，这只是就一方面而言。富贵子弟受过良好教育，长大后担当大任、成就伟业的也大有人在。

二〇

荣宠傍[①]边辱等待，不必扬扬[②]；困穷背后福跟随，何须戚戚[③]。

【翻译】

荣耀宠爱旁边有屈辱等待着，不必洋洋得意；贫穷困苦背后有福运跟随着，何必忧伤恐惧。

【赏析】

杨贵妃受唐玄宗宠爱，“春从春游夜专夜”，姐妹兄弟恩荫列土，荣耀无人能及。然而，安史之乱一声鼙鼓，敲碎了杨贵妃的富贵荣华梦。在逃亡路上，将士哗变，要求处死杨贵妃及其族人。之前有多少荣耀，便化作此刻多少屈辱，不仅自己宛转死于马前，家族也在劫难逃。相反，范仲淹自幼丧父，家庭贫穷，上学时划粥断齑，食不果腹。然而他志向

---

① 傍：旁边、侧边。

② 扬扬：得意的样子。

③ 戚戚：忧伤恐惧的样子。

远大，励志图强，终于成为北宋名臣。荣与辱，祸与福，有出身无定数，全在自己修为。

二一

古人闲适处，今人却忙过了一生；古人实受[①]处，今人又虚度了一世。总是耽空逐妄[②]，看个色身[③]不破，认个法身[④]不真耳。

【翻译】

古人安闲舒适地生活，今人却忙碌地度过一生；古人实实在在享受生活，今人却白白地浪费一生。他们总是沉溺虚无、追求荒诞，不能看破色身，不能真切认识法身。

【赏析】

佛教认为，人生忙忙碌碌，在世俗中挣扎，得来的都是虚妄，不如让自己过得舒舒服服，享受闲适、恬淡的人生。人的色身终会消亡，只有回归法身才是功德圆满。

佛教的人生态度固然消极虚无，但仍有可取之处。比如物欲的世界没有尽头，所谓欲壑难平，为金钱和名利忙碌实在是舍本求末。我们不提倡及时行乐，但也不主张像蚂蚁一

---

① 实受：实际受用。
② 耽空逐妄：沉溺和追求虚无与荒诞的东西。
③ 色身：即肉身。
④ 法身：又称佛身。法身不生不灭，无形而随处现形，是性灵之身。

样一味忙碌，沉溺于琐碎繁杂的事务不能自拔。人生是一场旅行，所有的山高水长、奔波劳顿，都是为了不辜负每一寸阳光，不错过每一处风景。

二二

芝草[1]无根醴[2]无源，志士当勇奋翼[3]；彩云易散琉璃脆，达人当早回头。

【翻译】

灵芝草没有庞大的根系，甘甜的泉水无法追溯其源头，有志之士应当勇敢地振作有为；彩云容易飘散，琉璃容易破碎，明智之士应当早日回头。

【赏析】

古人用“芝草无根，醴泉无源”比喻出身低微、无所凭借，靠自己努力成就功业之人。

白居易的《简简吟》，描述一位叫简简的女孩，她姿色殊异，才艺不凡，可惜红颜薄命，过早夭折了。诗人用“彩云易散琉璃脆”感叹生命的脆弱和美好事物的转瞬即逝。这里引用这句诗，告诫人们珍惜时光，发奋努力，有所作为。

---

① 芝草：指灵芝，古人以为服之能成仙，能治愈百病，故名灵芝。菌类植物结构简单，没有根、茎、叶等组织。

② 醴（lǐ）：甜美的泉水。因为泉水直接从地下冒出，无法再追溯其源头。

③ 奋翼：原意是张开翅膀飞，比喻人振奋精神，有所作为。

砥砺志向，惜时奋进，大概是平民子弟出人头地的不二途径。

二三

帆只扬五分，船便安；水只注五分，器便稳。如韩信[①]以勇略震主被擒，陆机[②]以才名冠世见杀，霍光[③]败于权势逼君，石崇[④]死于财赋敌国，皆以十分取败者也。康节云："饮酒莫教成酩酊，看花慎勿至离披[⑤]。"旨[⑥]哉言乎！

【翻译】

帆只扬起一半，船便平稳；水只注入一半，容器便安稳。像韩信因为勇武和韬略震慑君主而被擒杀，陆机因为才气名声冠绝当世而被杀害，霍光因为权势太大逼迫君主而败亡，石崇因为财富能够匹敌国家而被杀，都是由于过于盈满才导致祸患的。邵雍诗说："饮酒莫教成酩酊，看花慎勿至离披。"这话说得太妙！

---

① 韩信：著名军事家，西汉开国功臣，与萧何、张良并称"汉初三杰"。在刘邦战胜项羽夺取天下过程中，韩信是主要军事指挥官。天下安定后，为刘邦皇后吕雉所杀。

② 陆机：西晋文学家。在"八王之乱"中依附成都王司马颖，后兵败被杀。

③ 霍光：西汉权臣。汉武帝去世时，指定霍光为托孤大臣，先后辅政二十余年，其间主持拥立昌邑王刘贺，仅二十七天，就以淫乱无道为由将其废除。霍光死后不久，汉宣帝以谋反罪夷其族。

④ 石崇：西晋富豪。石崇奢靡无度，穷奢极侈，后为赵王司马伦所杀。其死前叹道："奴辈利吾家财。"

⑤ 离披：凋谢、衰残。

⑥ 旨：原指美味的食品，后引申为美好。

【赏析】

《易经》多处讲明物极必反、盛极而衰的道理，为人处事，要讲究适可而止，留下分寸，留有退路。这种中庸之道，表现在生活的各个方面。比如茶倒七分满，饭吃七分饱，话留三分好。比如喝酒不能喝醉，小饮怡情，大醉伤身；看花要当时，等林花谢了春红，没有了观赏的兴致，只剩下惋惜的喟叹。

做人也要遵循中庸之道，战将不能功高震主，文人不必才名冠世，权臣不可权势逼君，豪富不能财富敌国。木秀于林，风必摧之，人要学会接受平凡和遗憾，接受生命的不完美。恰到好处的人生，才是圆满的人生。

二四

失血①于杯中，堪笑猩猩之嗜酒；为巢于幕上②，可怜燕燕之偷安③。

【翻译】

因贪杯而被杀，可笑猩猩喜欢喝酒；把巢穴搭建在帷幕之上，可怜燕子贪图眼前安逸。

---

① 失血：这里指被杀害。
② 幕上：帷幕之上。燕子在帐幕上筑巢，比喻处境非常危险。
③ 偷安：指贪图眼前的安逸。

【赏析】

明朝刘元卿《贤奕编》里讲述了这样一则寓言故事：猩猩贪杯，人们就在山脚下摆上美酒。猩猩知道这是用来引诱它们上钩的，遂大骂不止。然而它们终究抗拒不了酒的甘饴，相互提醒说："少喝点没事。"于是边喝边骂，直到大醉，被猎人捕获。

猩猩很聪明，知道人类在诱捕它，可最终仍免不了被捕捉，这是因为贪婪作祟。危险大多缘于贪婪。猩猩被美酒诱捕，是贪于口腹之欲；燕子把巢穴搭建在帷幕上，是贪于安逸。还有的贪于物欲，贪于名利，不一而足。贪婪像慢性自杀，与其说失陷于敌手，不如说引颈于自己。

二五

鹤立鸡群，可谓超然无侣[①]矣。然进而观于大海之鹏，则眇然[②]自小。又进而求之九霄之凤[③]，则巍乎[④]莫及。所以至人常若无若虚，而盛德多不矜不伐[⑤]也。

【翻译】

鹤站立在鸡群里，可以说高超出众，无可匹比。但是进一步

---

① 无侣：没有同伴，比喻无可匹比。
② 眇然：微小的样子。
③ 九霄之凤：高空中的凤凰。
④ 巍乎：高大。
⑤ 不矜不伐：形容谦虚。矜、伐，自夸自大。

将它与大海上的鹏相比较，就显得太渺小了。又进一步与高空中的凤凰比较，更高得比不上。所以超凡脱俗的人常常像什么也没有，道德高尚的人从不自夸自大。

【赏析】

爱因斯坦曾讲述有知与无知的关系：画一个圆，圆内是已掌握的知识，圆外是未知世界。人掌握的知识越多，接触的未知世界就越大。道德修养也是一个圆，修为越高，越能认识到自己的浅薄。人的各项素质，莫不如此。

所以品德高、素质好、能力强的人，一般更谦虚。他们若无若虚，因为虚无，故能海纳百川，包容万物。所以强者恒强。而无知的人自夸自大，在自夸自大中暴露出更多的无知。

满招损、谦受益，是遇见更好自己的必由之路。

二六

铅刀[①]只有一割能，莫认偶尔之效，辄寄调鼎[②]之责；干将[③]不便如锥用，勿以暂时之拙，全没倚天[④]之才。

---

① 铅刀：铅制的刀。铅质软，做刀不锐，故比喻无用的人和物。

② 调鼎：烹调食物，比喻治理国家。

③ 干将：春秋时吴人，善于造剑，他造的两把剑非常有名，一把叫干将，另一把叫莫邪。这里指干将剑。

④ 倚天：靠着天，形容极高。后代指宝剑。

【翻译】

铅刀只有一次使用的功效，不要因为偶尔有效，就委以重任；干将不像小锥子那样方便使用，不要因为一时的笨拙，就埋没它的倚天之才。

【赏析】

铅刀中看不中用，干将锋锐，但用起来未必顺手。对于管理者来说，手下鱼龙混杂，哪个有一次之效，哪个有倚天之才，需要仔细甄别。那些投机取巧之徒，善于在上司面前表现，但关键时刻不堪大用。那些板荡之臣，平时不善阿谀，往往为上司所不喜，只有在危机时刻才挺身而出，起到中流砥柱的作用。

二七

蛾扑火，火焦①蛾，莫谓祸生无本②；果种花，花结果，须知福至有因。

【翻译】

飞蛾扑向火焰，火焰烧焦飞蛾，不要说灾祸的产生没有由来；果实种出花朵，花朵结出果实，要知道福运到来定有缘故。

【赏析】

马克思主义哲学认为事物之间普遍存在联系，佛教认为

---

① 焦：烧焦。

② 本：根源。

万事皆有因果，种下什么样的因，便会结出什么样的果。

员工甲向老板抱怨自己得不到提升。老板笑笑，告诉甲有一位客户准备来公司考察，让他问问什么时候来。过了一会儿，甲向老板报告："下周过来。"老板问："下周几？"甲回答："我再去问问。"又过一会儿，来报告："星期二。"老板又问："来几个人？""没问。""坐火车还是坐飞机？""老板，您没让我问这个呀！"老板于是打电话叫来员工乙，交待同样的任务。乙很快完成任务，把需要了解的信息以及可能出现的情况一次性汇报得详详细细、清清楚楚。

生活并非不公，只是你没有全力以赴。今天你的努力，决定数年后的自己。

二八

花逞[①]春光，一番雨，一番风，催归尘土；竹坚雅操[②]，几朝霜，几朝雪，傲就琅玕[③]。

【翻译】

花儿在春光中争奇斗艳，一番雨打，一番风吹，催促它回归尘土；竹子坚守高尚的节操，几朝霜凌，几朝雪侵，傲然成就美好。

---

① 逞：显示、炫耀。

② 雅操：高尚的节操。

③ 琅玕（gān）：传说中的仙树。用以比喻珍贵、美好之物。

【赏析】

姹紫嫣红的花朵在春天争奇斗艳，令人赏心悦目。无奈美好的事物总是转瞬即逝，一夜风吹雨打，林花谢了春红，太匆匆。

时光易逝，韶华易老，能够穿越时空，流芳百世的，唯有高尚的节操。翠竹凌霜傲雪，四季长茂，在严寒中带来盎然绿意。人生莫如鲜花，经不起风吹雨打。人生当如翠竹，高洁的品格、坚强的意志、不屈的情怀才是立身之本，也是永不凋零的精神力量。

二九

鸽恶[①]铃而高飞，不知敛翼[②]而铃自息；人恶影而疾走[③]，不知处阴而影自灭。故愚夫徒疾走高飞，而平地反为苦海；达士知处阴敛翼，而巉岩[④]亦是坦途。

【翻译】

鸽子讨厌铃声就振翅高飞，它不知道收拢翅膀铃声自然停止；人厌恶影子就快速奔跑，却不知道置身背阴处影子自然消失。所以愚蠢的人徒然快速奔跑、振翅高飞，本来平坦的地方，

---

① 恶（wù）：讨厌、憎恨。
② 敛翼：收拢翅膀。
③ 疾走：快跑。
④ 巉（chán）岩：高而险的山岩。

反而成为苦难的海洋；通达的人知道置身背阴、收拢翅膀，即使险峻的岩壁，也会变成平坦的大道。

【赏析】

古人养鸽，会在脖子上挂个小铃铛。鸽子想要逃避铃铛的声音，于是振翅高飞，孰料越飞铃铛的声音越大。《庄子》上说，有个人讨厌自己的影子，跑着想要逃离，然而影不离身，他以为是跑得不够快，飞奔不停，最后力竭而死。人生的烦恼和痛苦，大多源于不满足已有的生活，于是毫无节制地敛取，永不停息地争执。愈是贪婪，愈不能满足，如此循环往复，生活疲惫不堪。试着放下，过一段平静恬淡、无欲无求的生活，会发现曾经的追求，都不及处阴敛翼的日子过得更舒畅、更真实。

三〇

秋虫春鸟共畅①天机②，何必浪③生悲喜？老树新花同含生意④，胡为妄别媸妍⑤？

【翻译】

秋天的昆虫春天的鸟，都能尽情地释放灵性，何必徒然产生

---

① 畅：没有阻碍，畅达；又有尽情、痛快的意思。这里指尽情地释放。
② 天机：天赋的灵机，即灵性。
③ 浪：徒然、白白的。
④ 生意：生机、生命力。
⑤ 媸（chī）妍：美丑。媸，丑陋；妍，美丽。

悲伤或者喜悦的心情？苍老的树木新开的花，同样蕴含着生机，为什么随意地评判美丑？

【赏析】

造物主安排了四季，每个季节都有独特的灵性，每个季节都有自然的美。春天的小鸟畅叙天机，秋天的昆虫同样别有情趣。威猛如虎豹，傲啸山林；娇小如灵雀，自在逍遥。新开的花朵固然娇妍，苍劲的古树同样生机盎然。大自然的生灵，每一个都是独一无二的存在，每一个都蕴含着不可忽视的生命力和不可复制的美。世界从来不缺少美，缺少的是发现美的眼睛和感受美的心灵。人类应当平等地看待万物，不以自己的得失悲喜判别事物的美丑高下。

三一

已享其利[①]者为有德，柳跖[②]之腹心；巧饰其貌者无实行，优孟[③]之流风[④]。

【翻译】

已经得到利益的人反倒提倡道德，这是柳跖的想法；巧妙装

---

① 享其利：得到利益。
② 柳跖（zhí）：传说中春秋时的大盗。据《庄子》记载，柳跖从卒九千人，横行天下，侵暴诸侯，穴室枢户，驱人牛马，取人妇女，贪得忘亲，不顾父母兄弟，不祭先祖。柳跖虽然如此残暴，却教导手下“盗亦有道”。
③ 优孟：春秋时期楚国宫廷艺人。以优伶为业，擅长表演，常谈笑讽谏时事。
④ 流风：传下来的风尚。

扮相貌的人没有实际作为，这是优孟的风尚。

【赏析】

强盗也讲规则，也讲道义，却仍然坏事做绝。戏子乔装打扮，在舞台上表演悲欢离合，其实并非真实。所以观察人物，不能只听其言，还要观其行。不能只看其人前表演，还要看其背后的实际行动。

北宋权相蔡京，年轻时追随王安石变法。司马光任宰执后，尽废新法，要把现行的“募役法”改为过去的“差役法”。知开封府的蔡京积极响应，率先废新立旧。等改革派重新得势，又想改用“募役法”，久拖不决之时，蔡京出主意说：“改回去就行了，没有必要讨论。”蔡京游离于变法和守旧两派之间，巧饰装扮自己，只讲利益，没有道义，成为败国奸臣。

三二

多栽桃李少栽荆[①]，便是开条福路；不积诗书偏积玉，还如筑个祸基[②]。

【翻译】

多栽种桃树和李树，少栽种荆棘，就是开辟了一条通往幸福的道路；不收藏诗文图书，偏要收集珠玉，如同打下了招致灾祸

① 荆：荆棘，丛生于山野间带刺小灌木的泛称。
② 祸基：祸根。

的根基。

【赏析】

种树要种桃李，不种荆棘，因为桃李能够结出丰硕的果实，而荆棘无所用，这个道理人人都懂。然而收藏积累，世人却多爱金玉珠宝，不喜欢诗书，这实在是本末倒置。诗书如桃李，桃李滋养身体，诗书滋养精神。而珠宝如荆棘，除了观赏，没有实际用途。

世人爱珠玉，因珠玉晶莹璀璨，佩之光彩照人。然而，珠玉惹路人眼馋，实在是招祸的根苗。而诗书所积，融入读书人的思想观念，你现在的气质里，藏着你读过的书和走过的路。腹有诗书气自华，举手投足之间，自有出类拔萃的气质和风度。这种由里到外的变化，不是珠宝金玉的修饰能够媲美的。

三三

习伪智[①]矫性[②]徇时[③]，损天真取世资考[④]，至人[⑤]所弗为也。

---

① 伪智：假聪明。

② 矫性：矫饰天性。

③ 徇时：顺从世俗潮流。

④ 取世资考：采纳世俗之见作为自己行动的参考。

⑤ 至人：指具有极高道德修养的人。

【翻译】

学假聪明来矫饰自己的天性，顺从世俗潮流，损害天然率真，采纳世俗之见作为行动的参考，道德高尚的人不会这样做。

【赏析】

人们知道孔子被称为“圣人”，很少有人知道老子被称为“至人”。

至人之道，在乎天然率真。道法自然而不是顺应潮流，淡泊名利而不是追逐名利，绝伪弃虑而不是伪智矫性，宁静致远而不是取世资考。

老子说：“天下皆知美之为美，斯恶已；皆知善之为善，斯不善已。”就是告诫人们，不要把世俗之见作为自己取舍的参考，要学会独立思考，符合美的要求才是真的美，符合善的标准才是真的善。

三四

大聪明的人，小事必朦胧①；大懵懂②的人，小事必伺察③。盖伺察乃懵懂之根，而朦胧正聪明之窟④也。

【翻译】

真正聪明的人，小事上一定糊里糊涂；真正糊涂的人，小事

① 朦胧：这里是糊涂的意思。

② 懵懂：迷糊、糊涂。

③ 伺察：侦察、观察。

④ 窟：洞穴。这里是通道的意思。

上必定观察得明明白白。大概小事明白是真糊涂的根源，而小事糊涂是真聪明的通道。

【赏析】

伯乐年老，推荐自己的朋友九方皋代替自己相马。秦王让九方皋外出寻找好马。不久，九方皋回来，秦王问："找的是怎样的马？"九方皋回答："黄色的母马。"等马牵到眼前，却是一匹黑色的公马。秦王向伯乐抱怨说："连马的颜色、雄雌都分不清楚，怎么能相信他选出的马？"伯乐回答说："九方皋正是专注于马的灵性，才忽略了其他细枝末节。"

真正聪明的人，在细枝末节上不愿分散精力，因此显得马马虎虎。而真正糊涂的人，总是在鸡毛蒜皮上斤斤计较。聪明的人目光长远，因此心胸豁达；糊涂的人目光短浅，因此自私狭隘。作为管理者，要善于抓大放小，善于简政放权，在大事上明察秋毫，在小事上难得糊涂。

三五

大烈[①]鸿猷[②]，常出悠闲镇定之士，不必忙忙[③]；休征[④]景[⑤]

---

① 大烈：宏大的功业。
② 鸿猷（yóu）：深远的谋略。
③ 忙忙：急匆匆的样子。
④ 休征：吉祥的征兆。
⑤ 景：大。

福，多集宽洪长厚之家，何须琐琐[1]。

【翻译】

宏大的功业，深远的谋略，常常出自于悠闲镇定的人士，不需要显得匆匆忙忙的样子；吉祥的预兆，盛大的福运，大多集中在宽宏长厚的人家，不需要计较细小琐碎的事情。

【赏析】

一个悠闲镇定的人士，必定有宏大的目标，深远的谋略，做事有条理，不会事到临头手足无措、顾此失彼。优秀的军事家指挥打仗，敌人的行动早在预料之中，这是事先深思熟虑的结果，所以每一次战役，都能知己知彼，百战不殆。

一个宽宏长厚的人，必定心怀慈悲，乐善好施，得让人处且让人，能施惠时尽施惠，决不会为了蝇头小利斤斤计较，也不会为了细小琐碎的事情庸庸碌碌。这样的人，吉庆有余，景福齐天。古时两家争宅院地，其中一家向在朝中做官的儿子求助。做高官的儿子回信说："两家争斗为一墙，让他五尺又何妨？居邻不忘睦为主，宽厚所致持家长。"这件事被传为千古佳话，人们为纪念这一宽厚之举，将争执的地方改名为"宽厚巷"。

① 琐琐：细小琐碎的事情。

三六

贫士肯济[1]人，才是性天[2]中惠泽；闹场能学道，方为心地[3]上工夫。

【翻译】

贫穷的人愿意救助别人，才是从自然本性中产生的恩泽；身处热闹的场所能学习道义，才是心地的功夫。

【赏析】

从人性上来说，只有贤愚善恶之别，并无尊卑贵贱之分。富贵人家施惠济人，固然值得尊重；贫穷人家也应在力所能及的情况下，尽力帮助别人，以助人为乐，以好施为荣，更能体现人性的光辉。

常怀慈悲之心，是最本真的道义。道可道，非常道，需要认真学习和领悟。常人学习，需要找一处僻静之地，以便集中精力，心无旁骛。其实，只要用心真诚，心有定力，即使在闹市之中，同样可以专心致志。陶渊明说“心远地自偏”，既适用于淡泊处世，也适用于治学问道。

① 济：救助。

② 性天：犹天性。谓人得之于自然的本性。

③ 心地：即思想、意识等。佛教认为心能生万法，如地能长万物，故为心地。

三七

人生只为“欲”字所累，便如马如牛，听人羁络[①]；为鹰为犬[②]，任物[③]鞭笞。若果一念清明[④]，淡然无欲，天地也不能转动我，鬼神也不能役使我，况一切区区事物乎！

【翻译】

人生如果只是被一个“欲”字所牵累，就像马和牛一样，任凭主人控制；像鹰和狗，任凭主人鞭笞。如果真的有一个清晰明朗的念头，淡泊名利，无欲无求，天地也不能指使我，鬼神也不能奴役我，何况一切微不足道的事物呢！

【赏析】

吃了别人的嘴软，就要为别人说话；拿了别人的手短，就要替别人办事。人一旦有了欲望，起了贪念，接受了别人的好处，等于把柄交到别人手上，从此失去自由和尊严，像牛马一样受人控制，像鹰犬一样任人驱使。秦朝宰相李斯，本是秦灭六国的功臣，智力横绝一世。然而他因为贪恋权位，被赵高胁迫，矫诏传位秦二世，不仅导致秦朝灭亡，自己也落得个身死族灭的下场。清朝皇帝十分警惕贪欲之害，据说一日三餐都有成规，每道菜不能超过三口。皇帝认为，如果

---

① 羁络：指的是马络头，引申为控制的意思。

② 为鹰为犬：鹰和犬都是经驯化后用来打猎时追捕禽兽的，后用鹰犬比喻受驱使而奔走效劳的人。

③ 物：这里指主人。

④ 清明：神志清晰，思虑明朗。

自己表现出对某道菜的喜好，就给别有用心的人以可乘之机。无欲则刚，去掉了贪念和偏好，才能公正行事，不为他人所左右。

三八

贪得[1]者身富而心贫[2]，知足者身贫而心富；居高者形逸而神劳[3]，处下者形劳而神逸。孰得孰失，孰幻孰真，达人当自辨之。

【翻译】

贪求钱财的人富有但内心空虚，知道满足的人贫穷但内心充实；身居高位的人身体安逸但心力疲惫，处于下层的人身体劳累但内心闲适。哪个得到哪个失去，哪个虚幻哪个真实，明达之士应当自己辨别。

【赏析】

有些人一生只为钱财而奔波，最后家财万贯，貌似富足，其实穷得只剩下了钱。这些人富的是物质，穷的是精神。由于内心空虚，吸毒、狎妓、赌博、奢靡，除了炫耀和堕落，人生找不到些许有意义的事情。有些人身居高位，香车宝马，仆役景从，貌似安逸，其实或尔虞我诈、勾心斗角，或忧虑

---

① 贪得：贪求财物或权益。
② 心贫：内心空虚。
③ 神劳：心力疲惫。

得失、牵挂进退，心思没有半点空闲。贪得者，愈贪愈贫；高位者，愈高愈劳。与其心贫神劳，不如不争、不比、不贪、不显，落得个知足常乐，处下心安，充分享受人生的真趣。

三九

众人以顺境为乐，而君子乐自逆境中来；众人以拂意[①]为忧，而君子忧从快意[②]处起。盖众人忧乐以[③]情，而君子忧乐以理也。

【翻译】

大多数人把顺畅的境遇当作快乐，但君子的快乐从困厄的境遇中获得；大多数人在不合心意时忧虑，但君子的忧虑从称心如意的地方开始。这是因为大多数人的忧愁或者快乐是由于情感，而君子的忧愁和快乐来源于理性。

【赏析】

小河里的鱼儿无忧无虑，舒适顺意，但永远看不到大海的波澜壮阔，注定平庸一生。鲜花在春风中盛开，固然娇艳芬芳，无奈朝来寒雨晚来风，花开不长久，满地归寂中。在逆境中凌霜傲雪的松柏，却能够四季常青，茂盛百年。同样，人只有经过暴风骤雨的历练，才能获得成长，体会到成长的

---

① 拂意：不如意。
② 快意：心情舒畅，称心如意。
③ 以：这里是因为的意思。

快乐。君子从顺境中看到隐藏的危机，在逆境中看到光明的未来，在快意时提防前方的坎坷，在拂意时历练自己的意志。古人说：“日中则昃，月满则亏。”君子正是懂得这样的道理，才能生于忧患，而在安乐中未雨绸缪。

四〇

谢豹覆面[①]，犹知自愧；唐鼠易肠[②]，犹知自悔。盖愧悔二字，乃吾人去恶迁[③]善之门，起死回生之路也。人生若无此念头，便是既死之寒灰[④]，已枯之槁木[⑤]矣。何处讨些生理[⑥]？

【翻译】

谢豹覆盖着脸面，还知道羞愧；唐鼠经常地换肠，还知道悔过。大概“愧”“悔”二字，是我们去除邪恶、转向善良的门户，是挽救死亡、回归生命的道路。人生如果没有这样的念头，就是已经熄灭的灰烬，已经枯萎的树木。去哪里寻找些许生存的希望？

---

① 谢豹覆面：传说中一种叫作谢豹的小虫子，见到人便以两脚遮住脸面，状若害羞。

② 唐鼠易肠：传说中一种叫唐鼠的鼠，一个月三次吐肠。

③ 迁：转移到、转向。

④ 寒灰：犹死灰，灰烬。

⑤ 槁木：已经死亡干枯的树木，形容毫无生气。

⑥ 生理：生存的希望。

【赏析】

人能够去恶为善，是因为懂得羞耻。

古人非常重视知耻之心，孔子曰“行己有耻”，朱熹说“人有耻，则能有所不为”，人有了羞耻之心，才能约束自己的行为。所谓知耻，就是以道德唤醒人的良知。知耻而后勇，才能改正错误，回到正确轨道上。

周处是知耻改过的典范。他年少时不修小节，纵情肆欲，乡里人都以他为祸患。后来他意识到自己为人所厌恶，遂产生改过自新的志向，开始磨砺意志、发奋好学，讲求仁义忠信。后来周处拜为将军，战死沙场，成为忠臣。

四一

异宝奇琛①，俱是必争之器；瑰节奇行②，多冒③不祥之名。总不若寻常历履易简行藏④，可以完天地浑噩⑤之真，享民物和平之福。

【翻译】

奇珍异宝，都是人们一定要争抢的东西；有美好操行的人，经常顶着不吉祥的名声。总是比不上平常的经历、简单的举止，

---

① 琛（chēn）：珍宝。

② 瑰节奇行：珍奇美玉般的节操和品行。

③ 冒：不顾（恶劣的环境或危险等），顶着。

④ 易简行藏：指简单的行为举止。

⑤ 浑噩：浑厚质朴。

可以保全天地浑厚质朴的本真，享受民情风物和顺平安的福分。

【赏析】

奇珍异宝招致祸端，不是它本身不吉，而是因为世所罕见。美好的节操和品行，如同珍奇的珠玉，晶莹剔透，难得一遇。普通人拥有奇珍异宝，必然寝食难安，普通人追求瑰节琦行，同样不是福分所在。君子看重德行，更主张顺其自然，不可标新立异。木秀于林，风必摧之，明智的处世态度是中庸之道。孔子宣扬仁义之道，四处碰壁，累累如丧家之犬；嵇康为官之后，越名教而任自然，审贵贱而通物情，终死于谗言。这些伟大人物尚且因品行高洁而为世所不容，作为凡夫俗子，踏踏实实过好每一天，在简单寻常中保持一份浑厚质朴的纯真，就是人生最大的福分。

四二

福善①不在杳冥②，即在食息起居处牖其衷③；祸淫④不在幽渺⑤，即在动静语默间夺其魄⑥。可见人之精爽⑦常通

---

① 福善：使行善的人得到福分。福，这里用作动词。

② 杳冥：昏暗遥远的地方。

③ 牖（yǒu）其衷：启发其内心。牖，窗户，引申为诱导、启发。

④ 祸淫：使放纵者得到祸端。祸，这里用作动词；淫，放纵无度。

⑤ 幽渺：昏暗遥远。幽，昏暗；渺，遥远。

⑥ 魄：魂魄，指人形体之外的精神形态。

⑦ 精爽：精神、魂魄。

于天，天之威命即寓于人，天人岂相远哉！

【翻译】

上天使行善的人得到福报，不在神秘遥远的地方，就在吃饭睡觉、行动坐卧的时候启发其内心；上天使放纵者得到祸端，不在昏暗深远的地方，就在行动静止、说话沉默的时候动摇其神志。可见人的精神常常与上天相通，上天的威权寄寓在人的身上，上天与人难道相隔遥远吗！

【赏析】

善有善报，报在哪里？上天的报应不一定在特定的时刻显现，而是寄寓在日常生活的方方面面。善良而贫困的人，也许会为柴米油盐焦虑，但衣食住行之间心安理得。放纵而富贵的人，也许锦衣玉食、奢侈糜烂，然而举手投足之间，总是神志迷乱、心无归属。

古人信奉天人感应，认为有神秘的力量主宰着人的喜怒哀乐，给善良的人带来福运，给邪恶的人降下祸端。其实，信奉上天，信奉报应，按今天的理解，就是遵循客观规律，尊重自然的力量。污染环境会招致疾病，改变物种会破坏生态平衡，这些恶果不停地折磨着人类。上天的报应与人类并不遥远，就在人们一念之间。

第四卷　闲适

一

昼闲人寂，听数声鸟语悠扬，不觉耳根尽彻[①]；夜静天高，看一片云光[②]舒卷[③]，顿令眼界俱空。

【翻译】

白天空闲，人声寂静，聆听数声鸟鸣悠然飘扬，不觉耳根通透；夜晚宁静，天空高远，看到一片云光舒展卷缩，顿时让人眼界开阔。

【赏析】

佛教将眼、耳、鼻、舌、身、意称为“六根”，人只有感受到内心平和之境，才能称为六根清净。鸟鸣，是自然界中最动听的声音；云光，是自然界中最散淡的影像。听鸟鸣之声，仿佛在聆听小鸟们的欢乐、自由和灵性；看云卷云舒，仿佛在和无拘无束的灵魂对话。从鸟语悠扬和云光舒卷之中，人们看到了生命的洒脱和无限可能。世事多羁绊，人生多艰辛，既然身体不能自由，为什么不放飞心灵呢？

二

世事如棋局，不着[④]的才是高手；人生似瓦盆，打破了

① 彻：通达、通透。
② 云光：云层中漏出的月光。
③ 舒卷：舒展和卷缩。
④ 着：下棋落子。

方见真空[1]。

【翻译】

世上的事情就像棋局，观棋而不着一子棋的才是高手；人的一生好像瓦盆，打破的时候才能看到什么也没有。

【赏析】

世上的事纷繁复杂，就像一局难解的棋，只要参与其中，难免有输有赢。真正的高手，置身事外，旁观者清，超越输赢，超脱世俗，看他人刀光剑影。人的一生像个陶盆，看起来装得下很多东西，等到打破那一刻，才知道一切都是虚幻，到头来空空如也。

生活中的起伏悲喜，无非是为了争高低、论强弱，争来争去，没有人会是赢家。

世事如棋局，所以不妨看轻利害得失，做个不着一子的高手；人生似瓦盆，所以需要勘破红尘，寻找更有意义的生命。

三

一场闲[2]富贵，狠狠[3]争来，虽得还是失；百岁好光阴，

① 真空：指超出一切物质、意识的境界。这里兼有字面意思，即什么也没有。

② 闲：闲置、没有意义。

③ 狠狠：全力以赴。

忙忙[1]过了，纵寿亦为夭[2]。

【翻译】

一场毫无意义的富贵，全力以赴地争抢过来，即使得到了还是会失去；百年的大好光阴，在匆匆忙忙中度过，纵然长寿也是要夭亡。

【赏析】

世俗之人，一是追求荣华富贵，二是追求长命百岁。然而即使得到富贵，如果不能实现人生理想，体现人生价值，要富贵何用？如果一味忙忙碌碌、争名夺利，不能尽情地享受生活的淡定从容，要高寿何用？富贵是人生华美的服饰，寿命是人生俊朗的躯壳，而生命的意义在于寻求天真淳朴的灵魂。这段文字的前半部分有一“闲”字，后半部分有一“忙”字，可见作者既不主张闲得无事、虚度光阴，也不主张忙忙碌碌、不得要领；关键是能淡定从容，无欲无求，追求生命本真，提高生活质量。

四

红烛烧残[3]，万念自然灰冷；黄粱梦破[4]，一身亦似

① 忙忙：急匆匆的样子。

② 夭：短命。

③ 红烛烧残：红色的蜡烛燃烧到尽头，比喻好事已经结束。

④ 黄粱梦破：唐代沈既济《枕中记》记载，卢生在邯郸旅店中遇一道士，道士赠送他一个枕头。卢生头枕而眠，梦中历尽富贵荣华，一觉醒来，发现店主人蒸的黄粱饭还没有熟。后用“黄粱梦”比喻荣华富贵终归虚幻。

云浮。

【翻译】

红色的蜡烛燃烧到尽头，心中各种念想自然如死灰般冷却下来；黄粱美梦终于醒来，身心也像云彩一样飘浮。

【赏析】

古人认为，富贵权势难以长久，因此常劝诫人们莫要有攀龙附凤之心。《红楼梦》中，大观园曾盛极一时，海棠诗社、艳雪红梅、元宵夜宴，好一派热闹场景。然而仿佛一夜之间，姐妹们亡的亡，散的散，所有的缱绻深情都归于沉寂，眼看他起高楼，眼看他楼塌了，落了片白茫茫大地真干净！所以作者把女儿们的司命所在称为“太虚幻境”，终有红烛烧残、黄粱梦破的一天。到那时，只有万念俱空、心灰意冷，回头看时，不过是水中月、镜中花，所有经历都如白云飘浮，终归虚幻。

五

千载奇逢[①]，无如好书良友；一生清福[②]，只在碗茗炉烟[③]。

---

① 奇逢：意外相逢，形容极其难得的遇合。
② 清福：清闲之福。
③ 碗茗炉烟：一碗茶和一炉烟。

【翻译】

千载难逢的遇合，都比不上一本好书和一位良友；一生的清闲之福，只在一碗清茶和一炉香烟之中。

【赏析】

烹一碗清茶，点一炉香烟，读一本好书，再约上一位可以倾心交谈、相互切磋的知己好友，这是古人理想的生活状态。

细品一碗茶，浓酽如世间繁华，清幽如隐逸人生，甘饴似如花美眷，苦涩似持戒清修，鲜爽如春风入怀。品尝茶中五味，阅尽人生，可以清心逸志，怡情养性。

焚香也是文人雅好之一。“静坐一炉香，万事可思量。”在缭绕的青烟中感受时光流逝，感悟生活的宁静，感怀心灵的自由。

有茶相伴，以香为媒，这样的日子，适合读散文小品，从日出到日落，在闲散的时光里，氤氲出一段空灵虚静的心境。

六

困来稳睡落花前，天地即为衾[①]枕；机息[②]坐忘[③]盘石[④]

---

① 衾（qīn）：被子。

② 机息：功利之心熄灭。

③ 坐忘：谓物我两忘、与大道融通为一的境界。

④ 盘石：指极为坚硬的石头。

上，古今尽属蜉蝣[①]。

【翻译】

疲倦的时候在落花前安稳睡去，天空和大地就是被子和枕头；功利之心熄灭，坐在坚硬的石头上物我两忘，古往今来都如同蜉蝣一样。

【赏析】

相较于天地宇宙，古今数千年，只如朝生暮亡的蜉蝣一样微不足道。人的一生，更是若白驹过隙，转瞬即逝。人生如此短暂，不应该耗费在奔波争斗之中，而应该尽情地享受美好的大自然和静谧闲适的时光。只有摆脱了机心巧诈，才能物我两忘、道人合一。最是人间留不住，朱颜辞镜花辞树。落花无情，代表易逝的生命，能够坦然安稳地沉睡于落花之中，坐忘于青石之上，必是看破了世事，远离了纷争，摆脱了物欲和得失荣辱之心。这样的生命，即使如落花飘忽，也曾经享受过春天的丽日和风。

七

昂藏[②]老鹤虽饥，饮啄[③]犹闲，肯同鸡鹜[④]之营营[⑤]而竞

---

① 蜉蝣：生存期极短的一种昆虫。这里比喻极短暂。

② 昂藏（cáng）：气度轩昂的样子。

③ 啄：鸟类用嘴取食。

④ 鹜（wù）：鸭子。

⑤ 营营：指追求奔逐。

食？偃蹇[1]寒松纵老，丰标[2]自在，岂似桃李之灼灼而争妍？

【翻译】

气度轩昂的老鹤即使饥饿，饮水啄食依然悠闲，怎么肯与鸡鸭一起奔逐抢食？挺拔高耸的寒松纵然苍老，风度仍然存在，哪里会像桃树和李树那样争奇斗艳？

【赏析】

古代文化中，常以鹤喻指隐逸高人。《诗》曰："鹤鸣于九皋，声闻于野。"贤士虽身隐而名犹著，虽贫寒而操守依旧，不会变成营营竞食的宵小之辈。宋代林逋，孤高自好，不趋荣利。他隐居杭州西湖，终生不娶不仕，惟喜植梅养鹤，人称"梅妻鹤子"。他善作诗，写完随手丢弃。有人劝他留存后世，他说："我在当今且没打算传播名气，何况后世！"

松树冲寒傲雪，是孤高耿直的象征。陶渊明有诗云："凝霜殄异类，卓然见高枝"，诗人以松树自况，怎么能被俗世的尘嚣羁绊脚步？桃李争春，喻指争名夺利的世俗之徒艳俗一时。惟有松树，岁寒然后知后凋也，独守那一份峥嵘肃穆的标志。

---

① 偃蹇（jiǎn）：高耸。

② 丰标：风度、仪态。

八

吾人适志[①]于花柳烂漫之时，得趣于笙歌腾沸[②]之处，乃是造化[③]之幻境，人心之荡念[④]也。须从木落草枯之后，向声希味淡之中，觅得一些消息，才是乾坤的橐籥[⑤]，人物的根宗。

【翻译】

我们在花柳烂漫的时候怡然自得，在笙歌繁盛的地方得到乐趣，这是大自然创造的幻境，是人心中放纵的想法。必须在树叶飘落、百草枯黄之后，在声音稀疏、滋味淡薄之中，寻觅一些人生的真谛，这才是天地的本原，人物的根本。

【赏析】

花柳烂漫、笙歌腾沸，常人所追求的花花世界，在作者看来只是一时之幻境，是人心的荡念。所谓幻境，说明其短暂并且难以长久；所谓荡念，说明其放纵而一无所获。花柳烂漫是自然之幻境，春去秋来，花谢柳枯。笙歌腾沸是人事之幻境，热闹繁华之中，醉生梦死，不知所处。何况天下没有不散的筵席，亦没有不息之笙歌。幻象破灭，需要静下心来，寻觅人生真谛，参悟乾坤的本原。

---

① 适志：犹言舒适自得、怡然自得。

② 腾沸：水翻腾涌出貌，比喻兴盛。

③ 造化：创造演化。

④ 荡念：放纵的想法。

⑤ 橐籥（tuó yuè）：古代鼓风吹火用的器具，能助长火势。这里喻指本原。

九

静处观人事，即伊吕[①]之勋庸[②]，夷齐[③]之节义，无非大海浮沤[④]；闲中玩物情，虽木石之偏枯，鹿豕之顽蠢，总是吾性真如[⑤]。

【翻译】

安静的时候观察人世的各种事情，即使是伊尹、吕尚的功劳勋绩，伯夷、叔齐的节操忠义，无非都是大海中的泡沫；闲暇的时候玩味万物的各种性情，虽然木头、石块偏斜枯萎，麋鹿、猪豕顽劣愚蠢，但总是我们真实的本性。

【赏析】

伊尹辅佐商汤，吕尚辅佐周武王，他们都建立了不世功勋，为后世所敬仰；伯夷、叔齐宁愿饿死也不食周粟，其节义亦为后世所称道。

但是，人最理想的生活状态，不是建功立业，也不是节操忠义，而是返璞归真，回归到最原始、最懵懂、最质朴的性情中。木头、石块都是常见之物，虽然并不美观，但蕴含

---

① 伊吕：伊尹和吕尚。伊尹辅佐商汤灭夏朝，为商朝立下汗马功劳。吕尚，即姜太公，他辅佐周武王灭商朝，为周朝立下大功。

② 勋庸：功勋。庸，功劳。

③ 夷齐：伯夷和叔齐。他们是商末孤竹国国君的两个儿子。其父遗命要立叔齐为继承人，叔齐让位于伯夷，伯夷不受，叔齐也不愿继位，二人躲避到周国。周武王伐商，二人扣马谏阻。商朝灭亡后，他们耻食周粟，饿死于首阳山。

④ 浮沤（ōu）：水面上的泡沫。

⑤ 真如：即人的本性。

着大自然的灵韵。麋鹿、猪羊以及各种动物，都是人类的伙伴，它们虽然愚蠢顽劣，却是出自性情的本真，不矫揉造作，不勾心斗角，不投机钻营，也不去建立功业、树立节操。与木石鹿豕为伍，保持自然本性，与世无争，才能达到自由自在的境界。

一〇

花开花谢春不管，拂意事休对人言；水暖水寒鱼自知[①]，会心[②]处还期[③]独赏。

【翻译】

春天不会去管花开放还是凋谢，所以不如意的事情不要对别人说；水温暖还是寒冷，鱼儿自己知道，所以内心有所领悟时还是独自欣赏吧。

【赏析】

人生旅途中，有许多人与你同行，譬如父母、配偶、子女和朋友，但是能够自始至终陪伴你的，寥寥无几。譬如一棵树，即使生长在茂密的森林中，即使有所依靠，也要自己承担风雨，自己长大，开出自己的花，结出自己的果实。所以，当我们遇到不顺心的事，应学会打碎牙齿往肚里咽，自

① “水暖”句：禅宗用“冷暖自知”比喻证悟的境界。
② 会心：领悟于心。
③ 期：希望。

己学会承受痛苦，想办法克服困难。人生的道理需要自己领悟，天然的情趣尽管享受，得意不忘形，成功不炫耀。要学会独立，学会担当，学会适应孤独，才能变得成熟，变得强大。

一一

看破有尽身躯，万境[①]之尘缘[②]自息；悟入无坏境界[③]，一轮之心月独明。

【翻译】

看透身躯终将消失，一切尘世的牵挂自然消失；觉悟后进入永恒境界，一轮明亮的满月独自照耀内心。

【赏析】

人生于世，转瞬即逝，身躯与生命俱亡。尘世的一切情仇、牵挂、贪念，都会随着身体的消失而灰飞烟灭。只有了却尘缘，断除尘世的所有欲念，才能进入没有沉沦、没有伤害、没有折腾、没有喧闹的平和境界。在这样的境界里，犹如一轮满月朗照内心，澄然清净，光遍虚空。这个世界，只有本心，无所分别。

佛教的境界，玄妙深邃，不可诉说。其实只是一种心境，

---

① 万境：指一切境界。

② 尘缘：佛教、道教谓与尘世的因缘。

③ 无坏境界：指没有损坏灭亡、没有穷尽的境界。

割裂尘世种种污浊，让心灵到达纯净如洗的理想状态。

一二

谈纷华[1]而厌者，或见纷华而喜；语淡泊而欣[2]者，或处淡泊而厌。须扫除浓淡之见[3]，灭却欣厌之情，才可以忘纷华而甘淡泊也。

【翻译】

嘴上说厌恶繁华的人，或许遇到繁华时非常高兴；嘴上说喜欢淡泊的人，或许置身淡泊就厌恶。必须摒弃浓艳淡泊的偏见，消除喜欢厌恶的感情，才可以忘记繁华而甘于淡泊。

【赏析】

应该选择繁华还是淡泊？嘴上说喜欢或者厌恶，身体却是另外一种选择。世上有太多心口不一的人，不是虚伪，而是因为没有放下。因为太在意，所以才有爱恨，并且越在意，爱恨之情就越深。

和尚背着一位女子过河，放下后又走了一段路，弟子终于忍不住问："师父怎么可以背女子，这是违反戒规的。"和尚说："你看到的是一女子，我看到的只是一个弱者。我已放下多时，你却始终牵挂。"是呀，弟子之所以耿耿于怀，是因

---

① 纷华：繁华、富丽。
② 欣：欣喜、高兴。
③ 见：成见、看法。

为他十分在意“女子”的身份。正如世事，我若等闲视之，哪里有什么繁华或者淡泊？

一三

鸟惊心，花溅泪[①]，怀此热肝肠，如何领取得冷风月？山写照[②]，水传神[③]，识吾真面目，方可摆脱得幻乾坤[④]。

【翻译】

听见鸟叫心惊，看见花开落泪，怀着这样的热心肠，怎么能领略到清风明月的冷落孤寂？高山描绘形象，流水传递精神，认识到我们的本来面目，才能摆脱人世虚幻的牵绊。

【赏析】

杜甫因为山河破碎，于是才有“感时花溅泪，恨别鸟惊心”的哀叹。生活中有一种人，天生敏感，时而对生活热情似火，时而因环境伤心垂泪。听见春雨，想起落花，“夜来风雨声，花落知多少”；看见落花，想起韶华，“惜春长怕花开早，何况落红无数”；由韶华又想起离别，“时光只解催人老，不信多情，长恨离亭”。这样的人，个性固然张扬，但达不到超逸洒脱的境界。面对清风明月这样的冷落场景，必然寂寞

① 鸟惊心，花溅泪：听到鸟叫心惊，看到花开流泪。
② 写照：描绘刻画。
③ 传神：指生动逼真地刻画出人物的神情。此处指传递精神。
④ 幻乾坤：这里指人世虚幻。

伤怀，难以领略大自然的精妙。经历过人世的宦海起伏、情场跌宕、荣辱蹭蹬，才能见山是山，见水是水。“相看两不厌，只有敬亭山”，在与山水的对话中能洞见人性本真，忘却尘世牵绊。

一四

人之有生也，如太仓[1]之粒米，如灼目之电光，如悬崖之朽木，如逝海[2]之一波。知此者如何不悲？如何不乐？如何看他不破而怀贪生之虑？如何看他不重而贻[3]虚生[4]之羞？

【翻译】

人生命的存在，如太仓里的一粒米，如烧灼眼睛的雷电火光，如生长在悬崖上枯萎的树木，如流向大海的水波。知道了这些道理，怎么能不悲伤？怎么能不快乐？怎么能不看破人生的虚幻而心怀贪恋生命的念头？怎么能不看重人生的价值而留下虚度一生的羞愧？

【赏析】

生命是什么？是粮仓里的一粒米，很渺小；是电闪雷鸣，很短暂；是悬崖朽木，很脆弱；是河流水波，没有回程。正

---

① 太仓：古代京师储存粮食的仓库。
② 逝海：流向大海。
③ 贻：留下。
④ 虚生：虚度一生。

因为生命如此之轻，我们更需要格外看重，格外珍惜。抛却一切烦恼，剔除一切贪欲，看淡一切诱惑，只在庸常的日子里静下心，充分享受生命的美好。眷恋生命，就是要做最好的自己，当我们坐在摇椅上品味沉淀的记忆时，不会为虚度年华而羞愧，也不会为毫无意义的忙碌而流泪。

一五

鹬蚌相持[①]，兔犬共毙[②]，冷觑[③]来令人猛气[④]全消；鸥凫共浴[⑤]，鹿豕同眠[⑥]，闲观去使我机心顿息。

【翻译】

鹬和蚌相争不下，兔和狗一起被杀，冷静地看，令人勇猛的气概全然消失；鸥和鸭一起嬉戏，鹿和猪共同睡觉，安闲视之，使我的机心顿时消除。

【赏析】

有利欲之心的人，习惯争斗，企图在争斗中打败对手，

---

① 鹬蚌（yù bàng）相持：《战国策・燕策二》记载：蚌张开壳晒太阳，鹬去啄它，嘴被蚌夹住，两方都不相让，渔翁来后把两个都捉住了。比喻双方争执两败俱伤，第三方得利。

② 兔犬共毙：打猎时用狗追逐兔子，兔子被捕杀完后，狗没有了用处，也被猎人烹杀。比喻事情成功之后，把曾经出过力、立过功的人抛弃或杀掉。

③ 冷觑（qù）：冷静地观察。

④ 猛气：勇猛的气概。

⑤ 鸥凫（fú）共浴：白鸥和野鸭在同一条河里悠闲自得地嬉戏。比喻和谐共处。

⑥ 鹿豕（shǐ）同眠：鹿和猪睡在一起。比喻和谐共处。

获取利益。然而自然界的启迪，恰恰相反。

鹬和蚌势均力敌，相持不下，最终被渔翁收于囊中。猎犬帮助主人追杀兔子，看似得势，最后与兔子一同被杀。它们争斗的形势不同，争斗的结果却都是两败俱伤。反观共同生活在一起的鸥和鸭，鹿和猪，或共浴一条河，或同眠一座山，却能够相安无事，和睦长久。

在争斗中自诩勇猛，其实极其脆弱；在算计中机心太炽，结果害人毁己。少一些勇猛之气，少一些机巧之心，多一些关爱，多一些宽容，才是为人处世的智慧。

一六

迷[1]则乐境成苦海，如水凝为冰；悟则苦海为乐境，犹冰涣[2]作水。可见苦乐无二境，迷悟非两心，只在一转念间耳。

【翻译】

如果迷失，那么快乐的境地则变成苦难的海洋，像水凝结成冰；如果领悟，那么苦难的海洋则变成快乐的境地，像冰融解成水。可见苦难和快乐不是两个境界，迷失和觉悟不是两种心态，只在一念之间罢了。

---

① 迷：分辨不清，失去了辨别、判断的能力。
② 涣：散开，融解。

【赏析】

人生诸事，最要紧的是领悟。

领悟透了，会明白自己拥有什么，需要什么，舍弃什么，方向是什么。会明白人生的本真是什么，生命的要义在哪里。

领悟透了，不再盲目地喜欢或者仇恨，追求或者拒绝。比如不会喜欢与人争斗，而是选择和睦相处；比如不会仇恨对手，而是选择宽容；比如不再追求奢靡，而是选择淡泊；比如不再拒绝简单，而是选择随遇而安。

领悟透了，心态随之改变，痛苦转变为快乐，物质的清贫转变为精神的富足，旅途中的山重水复，转变为柳暗花明。

一七

遍阅[①]人情，始识疏狂[②]之足贵；备尝[③]世味[④]，方知淡泊之为真[⑤]。

【翻译】

看遍人情，才认识到疏狂足够珍贵；尝尽世间滋味，才明白淡泊是人性本真。

---

① 阅：察看。
② 疏狂：豪放，不受拘束。
③ 备尝：受尽、尝尽。
④ 世味：人世滋味，社会人情。
⑤ 真：本性、本真。

【赏析】

在古人的词典里，疏狂是对自由的表达，淡泊是对世俗的反叛。

人生落地，本来就应该无拘无束。后来，因为礼教，因为有所求，因为迁就他人的眼光，人被迫变得端庄、拘谨、循规蹈矩、胆小慎微。只有率真的人，才无意追逐功名，或放迹山水，或寄情樽酒，或退守田园，把一腔真性情用疏狂展现得淋漓尽致。

淡泊貌似无趣，然而，谁言淡泊不轰烈，恬静人生亦从容。采菊东篱下，有一箪食，一盏酒，一缕清风，聊伴老圃斜晖，足慰平生。这样的日子，这样的性情，在纷乱的世事里，保留一份纯真，一份与世俗的不苟同，才是真正的看破、悟透。

众人皆醉我独醒。醉，不是因为酒，而是因为迷失。醒，则缘于领悟，缘于疏狂和淡泊。

一八

两个空拳握古今，握住了还当放手；一条竹杖挑风月，挑到时也要息肩①。

【翻译】

两个空拳握着过去和现在，握住了还应当放开双手；一条竹

---

① 息肩：让肩头得到休息。比喻卸除责任或免除劳役。

杖挑起清风和明月，挑到了也需要让肩膀休息。

【赏析】

在人生的旅途中，会收获很多东西，包括权力、富贵、名声、荣誉等等，也许还有惊天动地的功业。然而这些东西不仅要能够握住，还要学会放手，不可贪恋。古往今来，凡是不懂舍得的人，往往难以善终。越王勾践灭亡吴国，范蠡和文种居功最高。功成之后，范蠡对文种说："飞鸟尽，良弓藏；狡兔死，走狗烹。越王可以同患难，不可以共享乐，赶紧走吧。"文种贪恋富贵，不肯离去，范蠡独自放迹江湖。后来，范蠡成了富家翁，文种却被赐死。

即便能拳握古今、肩挑日月，也不可过于看重自己。人生如梦，得失皆是泡影，在幻灭之前，当主动放下，才活得心安理得。

一九

阶下几点飞翠[①]落红[②]，收拾来无非诗料[③]；窗前一片浮青映白[④]，悟入处尽是禅机[⑤]。

---

① 飞翠：飘落的绿叶。
② 落红：落花。
③ 诗料：作诗的材料。
④ 浮青映白：浮在水面上的青色叶子映衬着白色的莲花。
⑤ 禅机：指能发人深省富有意味的语言或事物。

【翻译】

台阶下几点飘飞的绿叶和凋落的花瓣，收拾起来无一不是作诗的材料；窗前一片漂浮的荷叶映衬着洁白的莲花，领悟之处全部都是禅机。

【赏析】

有人从落花处看到一片狼藉，有人却看到诗情画意。“落时犹自舞，扫后更闻香”，整个院落里都弥漫着芬芳。有人从池塘里只看到绿水白荷，有人却从中悟出深刻的哲理。“出淤泥而不染，濯清涟而不妖”，满满的都是君子品格。世上不是缺少美，而是缺乏发现美的眼睛和欣赏美的胸怀。生活中处处蕴含哲理，只是需要探究的意识和领悟的慧根。一花一世界，一叶一菩提，抛开世俗之气，收拾闲适心情，人生原本可以更有意义。

二〇

忽睹天际彩云，常疑好事皆虚事；再观山中古木，方信闲人是福人。

【翻译】

忽然看到天边彩色的云，常常怀疑好事都是虚幻；再去看看山中古老的树木，才相信清闲的人是有福的人。

【赏析】

庄子走在山中，看见一棵古树枝繁叶茂，伐木工人在旁边却不砍伐。庄子问其故，工人说："它没什么用处。"庄子感叹说："这棵树因为不成材得以终享天年。"

彩云随风飘散，不成材的树木享受天年，比之于人，万众瞩目的名人，声誉加身的达人，显赫豪奢的贵人，打着金字招牌，披着五彩光环，却最容易招致非议。而那些超脱世俗、隐逸山居的闲人，避开世事纷扰，不争不忿，不妒不恨，与木石结缘，同鹿豕为邻，享受大自然恩赐的福分。两相对比，才知道逍遥才是幸福。

二一

东海水曾闻无定波[①]，世事何须扼腕[②]？北邙山[③]未省留闲地，人生且自[④]舒眉。

【翻译】

东海的水面不曾听说平静的波涛，对世事何必激动？北邙的山麓未曾留下闲地，人生只管舒展眉头。

【赏析】

人生于世难免遭遇不平事，与其激动、愤怒，不如看开释怀。社会是个大舞台，像大海里的水总是起起伏伏、波涛

① 定波：静止不动的水波。
② 扼腕：以一手握持另一手腕部。指情绪激动。
③ 北邙山：位于洛阳市北。汉魏时期，洛阳为都城，皇帝陵及王侯将相坟墓多在于此地选址。
④ 且自：暂且、只管。

汹涌。每个人都是舞台上的配角，没有谁能够脱离剧情独善其身。即使那些帝王将相，生前经天纬地、呼风唤雨，死后也不过一抔黄土，几块碑石。北邙山上列坟茔，山上惟闻松柏声。那些帝王将相，早已不知魂归何处。人生苦短，不必为世事烦恼耿耿于怀，应当保持舒展的心情，开开心心过一生。

二二

天地尚无停息，日月且有盈亏[1]，况区区[2]人世，能事事圆满而时时暇逸[3]乎？只是向忙里偷闲，遇缺处知足，则操纵在我，作息自如，即造物不得与之论劳逸，较亏盈矣！

【翻译】

天地尚且没有停止休息，日月尚且会有盈满亏缺，何况是微不足道的人世，怎能每件事情都圆满而且每个时刻都安闲呢？只是在繁忙之中抽出空闲，在遭遇缺憾时知道满足，那么操控之权就在自己手中，把劳作休息安排得灵活自然，即使造物主也不能和我们讨论劳苦与安逸，计较亏缺与盈满。

【赏析】

东晋彭泽县令陶渊明不愿心为形役，毅然辞去官职，归

① 盈亏：指日月的圆缺。
② 区区：微不足道。
③ 暇逸：空闲、安乐。

隐田园。他归隐后的生活并不舒适安逸，每天荷锄带月，亲自参加农业劳动，躬耕终生。失去固定的生活来源，他生活拮据，虽酷爱饮酒，却常常买不起酒喝。尽管如此，他并没有后悔，倾情作诗："敛襟独闲谣，缅焉起深情。栖迟固多娱，淹留岂无成？"大意是，独自悠然歌咏，盘桓休憩本有很多欢乐，隐居乡里难道就一事无成？

月有阴晴圆缺，人有悲欢离合。即使闲适的日子也难免有许多不如意，但至少心灵是自由的，仅这点，就值得一片深情悠然歌唱了。

二三

心游瑰玮[①]之编[②]，所以慕高远；目想[③]清旷之域，聊以[④]淡繁华。于道虽非大成，于理亦为小补。

【翻译】

脑海畅想瑰丽雄奇的文章，所以向往辽阔远大的地方；闭目凝思清朗开阔的境界，姑且看淡繁华热闹的生活。对于"道"来说虽然不是大的成就，对于"理"来说却是小的补益。

【赏析】

人生活在世俗之中，很多时候会身不由己。尽管向往辽

① 瑰玮：指文章内容奇特，文辞华丽。
② 编：书籍、文章。
③ 目想：闭目凝思。
④ 聊以：姑且、勉强。

阔的远方，但在逼仄的城市里难以脱身；尽管渴望淡泊宁静的生活，但为了生计不得不在繁杂的事务中苦苦挣扎。然而，心若安闲，总有向道的途径。既然不能旅行，那么就读书，身体和灵魂总要有一个在路上。即使身体不得清闲，内心总要有宁静的时刻。读一篇雄奇的文章，想象一处清旷的地方，心胸也随之豁然开朗，思想也豁然通达。

二四

霜天[①]闻鹤唳[②]，雪夜听鸡鸣，得乾坤清纯之气；晴空看鸟飞，活水观鱼戏，识宇宙活泼之机。

【翻译】

清冷的秋天听见鹤的高鸣，下雪的冬夜听见鸡的叫声，得到天地清朗纯净的气息；晴朗的天空上看见鸟在飞翔，流动的河水里观赏鱼在嬉戏，见识到宇宙自然灵动的生机。

【赏析】

秋季清朗，天地空阔；冬季万物蛰伏，万籁俱寂。这是声音传递最远、最清晰的时候。鹤是清高的鸟类，鹤鸣于九皋，声闻于野，山清峻，水清澈，鹤鸣里透着清朗。鸡是最常见的家禽，鸡已经叫了，天大亮了，满满的都是烟火田园气息。

---

① 霜天：指严寒的天气。这里指秋天。
② 唳（lì）：鹤、雁等鸟高亢鸣叫。

大自然中，最活跃的动物莫过于鸟和鱼。天高任鸟飞，水阔凭鱼跃，鸟在天空翻飞腾跃，鱼在水里自由穿行，都显示了大自然灵动的活力和最蓬勃的生机。

鹤鸣鸡叫，鸟飞鱼戏，是一幅和谐的画卷。怀着一颗阳光、开朗、闲适、宁静的心，便会处处欢悦，处处享乐。心若在，道便在，本真便在。

二五

闲烹山茗听瓶声[①]，炉内识阴阳[②]之理；漫履[③]楸枰[④]观局戏，手中悟生杀之机。

【翻译】

闲暇时烹煮山茶，听着瓶里水沸的声音，能学习火炉中所包含的阴阳之理；随意地下着围棋，看着棋局里的变化，可领悟到手里面掌握的生杀之机。

【赏析】

太极分阴阳，阴阳无处不在，如天地、昼夜、寒暑、上下、刚柔。火炉煮茶，火与水，隐含着深奥的阴阳之理：水能克火，而火却能煮沸水。

---

① 听瓶声：听瓶内水沸的声音。瓶，古代煎茶的陶器。

② 阴阳：阴指瓶内的茶水，阳指炉内之火。

③ 漫履：随意地下棋。漫，闲散、随意；履，实行、执行。

④ 楸枰（qiū píng）：以楸木做的棋盘。后用以代指围棋。

围棋亦分阴阳，黑子白子，双方对立，就是一对阴阳。这一对阴阳，却在棋盘上演绎出生死杀伐的大戏。生死亦是阴阳，结果全在手上。

烹茶、弈棋都是闲人逸士喜爱的活动，却都隐藏着深奥的哲理。处处留心皆学问，便会发现一个更鲜活、更生动、更深刻的世界。这世界，是所谓“道”的世界。

二六

芳菲园林①看蜂忙，觑②破几般③尘情世态；寂寞衡茅④观燕寝，引起一种冷趣幽思。

【翻译】

在花园果林里看着蜜蜂忙忙碌碌，从中看破了多少凡尘的人情和世俗的态度；在寂寞的茅屋里看到燕子筑造巢穴，引起一种清冷的情趣和深沉的思索。

【赏析】

花园果林，芳香四溢，蜜蜂飞来飞去，忙忙碌碌，采蜜授粉。然而，辛辛苦苦采来的花蜜，最终成为他人的盘中餐、口中食。反观屋檐下的燕子，乱飞春得意，幽语夜闻声，双

① 芳菲园林：指花园果林。
② 觑：窥视。
③ 几般：多少。
④ 衡茅：衡门茅屋，简陋的居室。借指隐者所居之地。

双对对，自由自在。作者用蜜蜂比喻那些为微名薄利而追逐劳碌的世俗之徒，用燕子比喻安贫乐道、怡然自得的隐逸之士。世俗之徒虽然身处繁华富贵之中，到头来不知为谁辛苦为谁甜，一生追求付诸东流。燕子虽然身处衡门茅屋，却从容自得，活得有情有趣。两相比较，其中隐含的深刻哲理不言自明。

二七

会心[1]不在远，得趣不在多。盆池拳石[2]间，便居然有万里山川之势；片言只语内，便宛然见万古圣贤之心。才是高士的眼界，达人的胸襟。

【翻译】

内心领悟不在于远近，获得情趣不在于多少。盆大的池子、拳大的石头，就俨然有万里高山大川的气势；在片言只语中，就仿佛看到万世圣贤的内心。这才是高明之士的眼界，豁达之人的胸襟。

【赏析】

对于有心人来说，从一滴水中可以看见大海，从一朵花中可以看见整个春天。所谓见微知著，就是从事物的细端末节洞见其全部或者本质。一个人心若安闲，意若脱俗，即使

① 会心：内心领悟。

② 盆池拳石：像盆那样大的水池，像拳那样大的石头，比喻微小的景观。

不能跋山涉水寻访名山大川，也可以通过盆池拳石感受山水的灵性。即使无法亲自拜谒古圣先贤，也能通过经典和微言领悟圣贤之心。

令人心有所悟的地方，不一定非要遥远。只要有眼界、有胸襟、有追求，总能找到心意与自然相通的地方，找到德行向圣贤思齐的依据。心若在，梦就在，人生处处有天机。

二八

心与竹俱空，问是非何处安脚[①]？貌偕松共瘦[②]，知忧喜无由[③]上眉。

【翻译】

内心与竹子都虚空，试问是是非非在什么地方安顿落脚？相貌与松树一样清瘦，知道忧愁和喜悦没有理由爬上眉梢。

【赏析】

竹子和松树，有特殊的文化意义。竹子中空，代表虚怀若谷、胸怀坦荡。松树傲霜凌雪、挺拔遒劲，象征着坚韧不屈、忠贞正直。

以物喻人，做人要虚怀若谷、胸怀坦荡，才能容天下难容之事，以博大的胸襟对待不公正的待遇、不怀好意的诋毁，

---

① 安脚：停留，安顿下来。
② 瘦：此处指清瘦。
③ 无由：没有原因。

才能达到宁静致远、淡泊明志的境界。

坚强不屈、忠贞正直，才能克服困难，战胜内心的恐惧和空虚，以积极进取的态度对待生活。富贵不淫，贫贱不移，威武不屈，面对复杂多变的环境和形势不改变自己的志向。

如果具有松竹品质，自然不会把琐碎的是非曲直放在心上，也不会把喜怒哀乐挂在脸上。

二九

趋炎①虽暖，暖后更觉寒威；食蔗能甘，甘余便生苦趣。何似②养志③于清修而炎凉不涉，栖心于淡泊而甘苦俱忘，其自得为更多也。

【翻译】

靠近火焰虽然温暖，但温暖之后更能感觉到寒冷的威力；食甘蔗感觉甜蜜，但甜蜜之后会产生出苦涩的滋味。这些怎么比得上在清修中培养志向，让炎热凉寒都与自己无关，在淡泊中安置心灵，把甘甜苦涩全部忘掉，这样自己得到的会更多。

【赏析】

每个人都渴望温暖而甜蜜的生活，但温暖和甜蜜是相对的，入芝兰之室，久而不闻其香，在温暖和甜蜜中长大的孩

---

① 趋炎：靠近火焰。
② 何似：怎么比得上。
③ 养志：此处指培养保持不慕荣利的志向。

子，并不会常常感受到幸福。相反，一旦失去温暖和甜蜜，就会凄凄惨惨戚戚，难以适应生活的艰辛和苦涩。比如《红楼梦》中的千金小姐们，生长在温香软玉之中。等到家族破败，下场却一个比一个凄惨。与其这样，不如一开始就过着淡泊清静的普通人生活；经过艰难困苦的历练，无论生活中是和风丽日，还是暴风骤雨，都能淡定自如，从容应对。竹杖芒鞋轻胜马，一蓑烟雨任平生。有了这样的心态，回首向来萧瑟处，也无风雨也无晴。

三〇

席拥飞花落絮，坐林中锦绣团裀[1]；炉烹白雪清冰，熬天上玲珑液髓。

【翻译】

坐席被飞扬的花、飘落的絮覆盖，就像坐在树林中锦绣的坐蓐上；火炉烹煮着洁白的雪、清澈的冰，就像在熬制天上的琼浆玉液。

【赏析】

生活条件简陋，是不是就没有快乐？生活在世俗之中，是不是就难以超凡脱俗？其实，快乐与豪华奢侈并没有必然的关系，安适与生活环境也没有必然的联系。只要心中有爱，

---

① 团裀（yīn）：圆形的坐蓐。裀，垫子，褥子。

何处不是春意盎然；只要心中有景，到处都是花香满径；只要心中有闲，无论在哪里，都能够感受到隐逸的情趣。

三一

逸态闲情，惟期自尚①，何事处修边幅②；清标③傲骨，不愿人怜④，无劳多买胭脂。

【翻译】

飘逸的态度、闲适的情调，只期望自己崇尚，又何必要处处修正仪表；俊逸的风采、高傲的气骨，不希望让别人爱怜，自不必麻烦买许多胭脂粉黛。

【赏析】

腹有诗书气自华，气质风度不是打扮出来的，所以与其多买胭脂，不如多读书充实自己。有人说："女为悦己者容。"其实良好的气质、安逸的情调，还是为了满足自己的内心。就像创作一件艺术品，有人欣赏固然可喜，然而创作的过程满足了创作者对艺术的追求和自己内心的表达，充满纯粹的快乐。花朵开放不是为了取悦春天，蝴蝶却已翩翩而来。做好自己，是对人生最好的关怀。

---

① 尚：崇尚。
② 边幅：指人的衣着、仪表。
③ 清标：俊逸的风采。
④ 怜：爱。

三二

天地景物，如山间之空翠[①]，水上之涟漪[②]，潭中之云影，草际[③]之烟光，月下之花容，风中之柳态。若有若无，半真半幻，最足以悦人心目而豁[④]人性灵。真天地间一妙境也。

【翻译】

天地间的景物，比如深山里弥漫的青色雾岚，水面上风吹的涟漪，潭水中云彩的影子，草天相接处蒸腾的烟霞，月光下鲜花的容颜，微风中垂柳的媚态。好像有又好像没有，一半是真一半是假，最足以愉悦人心目并且让性灵通达。这些真是天地间美妙的境界。

【赏析】

世上美景众多，而作者最为赞赏的，是那些若有若无、半真半假的景致。譬如水上涟漪，一阵风吹来，水面荡漾，风停则水止。譬如潭中云影，虽真实可见，却可望不可及，聚散离合，变幻莫测。这些虚幻空灵的景致之所以被作者称道，是因为它们切合恬淡、安适、静雅的心境，浮躁和功利之心无法欣赏这种似有还无的美景。还因为这些景致远离人

---

① 空翠：指青色潮湿的雾气。
② 涟漪（yī）：被风吹起的水面波纹。
③ 草际：草和天相接的地方。
④ 豁：开通。

间烟火，并且随物赋形、变化灵动，给人以无限的想象空间，能够激发人们向往山林、追求隐逸之心。

三三

乐意[1]相关[2]禽对语，生香[3]不断树交花，此是无彼无此得真机[4]；野色更无山隔断，天光常与水相连，此是彻[5]上彻下得真意。吾人时时以此景象注[6]之心目，何患心思不活泼，气象不宽平！

【翻译】

禽鸟之间相互交谈，它们心甘情愿地彼此沟通，树木之间繁花相互交结，香气弥漫连绵不断，这是不分彼此得到的真正情趣；原野的景色没有被连绵不断的大山隔断，天空的颜色常常与水色连在一起，这是贯通上下得到的真正意趣。我们常常把这样的景象聚集到心中，还担心什么心思不活泼，气度不宽平呢！

【赏析】

宋代诗人石延年游园时写道："乐意相关禽对语，生香不断树交花。"诗人体会到了鸟类、花木互相应和的乐趣。后面

---

① 乐意：心甘情愿。
② 相关：彼此关联，联络。
③ 生香：生发出香气，散发香味。
④ 真机：真正的情趣。
⑤ 彻：贯通。
⑥ 注：聚集到。

的两句是："纵游会约无留事，醉待参横月落斜。"在这样不分彼此的交融中，诗人享受到自然之趣，无牵无挂，纵情饮酒，直到月亮西落，参星横斜。

"野色更无山隔断，天光常与水相连"是宋人滕甫的诗句，诗中描写了原野景色连绵不断，天光水色上下相连的阔大景象，其所以阔大，在于上下贯通，浑然一体。

两诗写景有一个共同特点，就是有两种以上的物象相互包容，和睦相处。惟其如此，才把单调变为和谐，才把狭小变为宽阔，才把孤独变为心有所属。惟其如此，诗句才打动人心。

三四

鹤唳雪月霜天，想见屈大夫[①]醒时之激烈[②]；鸥眠春风暖日，会知陶处士[③]醉里之风流。

【翻译】

面对白鹤鸣叫、雪地月光、寒霜净空，可想象出屈原大夫清醒时的激荡猛烈；看到沙鸥休眠、春风荡漾、天气和暖，能体会

---

① 屈大夫：即屈原，战国时期楚国贵族，曾任三闾大夫。屈原主张联齐抗秦，遭排挤诽谤被流放，因报国无门，遂自沉于汨罗江。屈原所作《渔父》写道："举世皆浊我独清，众人皆醉我独醒。"

② 激烈：这里指情绪激荡猛烈。

③ 陶处士：即陶渊明，东晋人，曾为彭泽县令，因不满"为五斗米折腰"，遂归隐。陶渊明嗜酒，有《饮酒》诗多篇。

到陶潜处士喝醉后的风流超逸。

【赏析】

屈原遭贬谪，游走于江潭之间，一位渔父问他为何这样憔悴，屈原答："举世皆浊我独清，众人皆醉我独醒，是以见放。"渔父劝他与世俗同流合污，屈原却说："宁赴湘流，葬于江鱼之腹中。安能以皓皓之白，而蒙世俗之尘埃乎？"宁可葬身鱼腹，也不愿被尘埃玷污。

陶渊明做官时感到世俗黑暗，不愿为五斗米折腰，遂辞官归田。他在劳动和酒醉中逃避世事，活得风流洒脱。

鹤唳、雪月、霜天，鸥眠、春风、暖日，都是隐士的生活场景，前后构成互文。屈原、陶渊明都不与世俗苟合，一个选择清醒而痛苦着，一个选择沉醉而快活着。无论哪种选择，他们都简单而纯粹，高尚而坚定。

三五

黄鸟[①]情多，常向梦中呼骚客[②]；白云意懒，偏来僻处媚幽人[③]。

【翻译】

黄莺感情丰富，常常呼唤梦中的文人骚客；白云意兴懒散，

---

① 黄鸟：即黄莺，叫声犹如流水般婉转动听。

② 骚客：指文人、诗人。

③ 幽人：指隐士。

偏偏取悦偏远的幽居之人。

【赏析】

俗话说："物以类聚，人以群分。"黄莺叫声婉转，貌似多情，与天性敏感的文人恰似一对儿。白云悠悠荡荡、意兴懒散，与随性自由的隐士刚好契合。所以，从一个人的喜好和居住的环境可以看出他的志趣品行。喜爱珍玩宝器之人，必定追逐富贵荣华，而李白"钟鼓馔玉不足贵，但愿长醉不愿醒"，在猎取功名失败后，也变成了高蹈之人。王维人称"诗佛"，中年丧妻后几十年不娶，因为他陶醉于"当时只记入山深，青溪几度到云林"这样的生活之中。贪官爱珠玉，骚客恋美人，隐士居江湖，贤士好风雅，大抵不错。

三六

栖迟[①]蓬户[②]，耳目虽拘[③]而神情自旷；结纳山翁，仪文[④]虽略而意念常真。

【翻译】

隐居在简陋的茅屋里，见闻虽然受到限制但精神自然阔达；结纳山里的老人，礼节虽然简略但思想信念常常单纯而真诚。

---

① 栖迟：淹留、隐居。

② 蓬户：用蓬草编成的门户。原指穷人居住的陋室，这里指隐士居住的茅屋。

③ 拘：拘束、受限制。

④ 仪文：礼仪形式、礼节。

【赏析】

居住在偏远闭塞之地，无法及时得到各种消息，但耳清目爽，精神为之旷达舒畅。与山民为邻，虽礼节不周，但人心淳朴，待人真诚。道家所倡导的“返璞归真”，就是回到这种原始状态。没有勾心斗角，远离尔虞我诈，少了争名夺利，不见虚妄浮躁。陶渊明在《桃花源记》中描写的那种安宁和乐、自由平等的社会，正是幽居隐士所向往的。那里“不知有汉，无论魏晋”“阡陌交通，鸡犬相闻”，因为简单，所以美好，因为真诚，所以安适。

三七

满室清风满几[①]月，坐中物物见天心[②]；一溪流水一山云，行处时时观妙道[③]。

【翻译】

满屋清爽的风，案几上洒满了月光，坐在中间每一件物品都显现出自然之意；一溪流动的水，山谷里飘浮着白云，所到之处时时刻刻能看出精妙之理。

【赏析】

自然之意体现在满室清风和满几月光中，精妙之理蕴藏

---

① 几：小桌子。

② 天心：上天的心意，这里指自然之意。

③ 妙道：精妙的道理。

在一溪流水和一山浮云里。这一段话与陶渊明的《饮酒》诗有异曲同工之妙："采菊东篱下，悠然见南山。山气日夕佳，飞鸟相与还。此中有真意，欲辨已忘言。"陶渊明与作者都从大自然的日常之景中领悟到天心妙理和人生真谛，陶翁说"欲辨已忘言"，其实已不言自明，只有恬美安闲的田园生活和质朴纯净的自然风光，才能让人充分享受人生乐趣，获得生命的本真。

三八

炮[①]凤烹龙，放箸时与齑盐[②]无异；悬金佩玉，成灰处共瓦砾[③]何殊[④]。

【翻译】

烧烤凤烹煮龙，放下筷子时与腌菜没有不同；悬挂金佩戴玉，成为灰烬时与瓦砾有什么区别。

【赏析】

凤和龙是传说中的动物，这里指名贵的食材。珍馐佳酿令人神往，但现代科学告诉我们，名贵的燕窝，其营养成分主要是碳水化合物和蛋白质，这两样广泛存在于瘦肉、鸡蛋

---

① 炮（páo）：烧烤。
② 齑（jī）盐：指腌菜。
③ 瓦砾（lì）：破碎的砖头瓦片。
④ 殊：不同。

和米、面等食物中。海产珍品鲍鱼，富含谷氨酸，而西红柿、蘑菇、豆类中谷氨酸含量已经能够满足人体日常需要。从营养角度来说，每天豪奢珍奇，与粗茶淡饭并无本质差别，都是一日三餐，给养生命而已。所以，作者主张过极平淡、极普通的生活，这样能够减少欲求，去除浮华，宁静淡泊。

三九

扫地白云来，才着[①]工夫便起障[②]。凿池明月入，能空境界自生明。

【翻译】

打扫干净地面，白云又飘了过来，刚用功夫又被遮蔽。凿开水池，明月映照进来，能够空掉境界自会产生光明。

【赏析】

刚刚把地面打扫干净，一朵白云飘过来，又在地面上投下了阴影。地面比喻我们的内心，白云比喻尘世，阴影就是佛教所讲的烦恼。修行人费尽心思扫除内心的痴心妄念，不料一个莫名的由头，杂念又涌了上来。该忘的忘不掉，该放的放不下，魔障丛生，烦恼难消。

凿开池塘，一轮明月自然映照其中。这是因为池塘虚空，所以能接纳月光。这也是个隐喻，只有我们将尘世的执念全

---

① 着：下、用。
② 障：遮蔽。佛教认为烦恼能碍圣道，故把烦恼称作障。

部清空，因缘全部看开，牵挂全部放下，才能变得聪慧明智，将这个世界看得清晰通透。

前句是“障”，后句是“明”；前句是阴翳，后句是光亮；前句是烦恼，后句是智慧；前句是难题，后句是答案。

四〇

想到白骨黄泉[①]，壮士之肝肠自冷；坐老[②]清溪碧嶂[③]，俗流之胸次[④]亦闲。

【翻译】

想到人死之后白骨归于黄泉，豪壮的人肝肠也会变冷；长期生活在青山绿水之间，世俗之人的胸怀也会变得安闲。

【赏析】

在纷繁复杂的环境里，能够出淤泥而不染的毕竟是少数，近朱者赤、近墨者黑才是普遍现象。所以，一副热心肠的人，想让他冷却下来，就带他去看森森白骨。一个世俗之人，想要培养超逸的胸怀，不妨长年生活在青山绿水之中。远离俗世喧嚣，没有红尘琐事，面对的是清澈的溪水、翠绿的草木、悠闲的白云、自在的飞鸟、逸驰的麋鹿，以及心不设防的山

---

① 黄泉：泉水深处呈黄色，人死后也埋于地下，故以黄泉代称人死后居住的地下世界。

② 坐老：指长期生活。老，指长时间。

③ 嶂：像屏风一样的山峰。

④ 胸次：胸怀。

中老翁。在这样的环境里，自己也会变得无欲无求，慢下匆匆的脚步，放松紧绷的神经，放纵自己的性情，做一个悠然舒适的世外闲客。

第五卷　概论

一

君子之心事，天青日白[①]，不可使人不知；君子之才华，玉韫珠藏[②]，不可使人易知。

【翻译】

君子的心事，像青天白日一样光明磊落，不能不让人知道；君子的才华，像美玉珠宝一样需要珍藏，不能让人轻易知道。

【赏析】

君子坦荡荡，做事光明磊落，心底无私，才能体现高尚的操守。然而待人处世则要低调内敛，这样不仅能显示谦虚谨慎的品德，也是适应社会、不受伤害的自保之策。

孙膑是著名的军事家。他的同学庞涓担任魏国的将军，知道自己才能比不上孙膑，因此心生嫉妒。庞涓暗地里把孙膑接到魏国进行监视，并捏造罪名砍去孙膑双足，在他脸上刺字。孙膑险些命丧魏国，后来秘密联系齐国使者，才得以逃离险境。古代官场因妒成仇的事例不胜枚举，隐才彰拙方可明哲保身。即使今天，高调做事、低调做人，仍然是职场的金科玉律。而所谓“低调做人”，指的不是人格品行，而是处理人际关系的方法。

---

① 天青日白：即青天白日，比喻光明磊落。

② 玉韫（yùn）珠藏：把美玉和珠宝珍藏起来，以免他人觊觎。

二

耳中常闻逆耳[①]之言，心中常有拂心[②]之事，才是进德[③]修行的砥石[④]。若言言悦耳，事事快心[⑤]，便把此生埋在鸩毒中矣。

【翻译】

耳中常常听到令人不高兴的言语，心中常常装有不顺心的事，才是提高道德修养和品行的磨刀石。如果每句话都好听，每件事都称心，就把这一生埋葬在毒酒中了。

【赏析】

人生如在大海中航行，随时可能遇到惊涛骇浪。一定要预先做好应对风险的准备。然而旁人言不由衷的奉承话，塞人耳目，让人处在虚幻的泡影之中，看起来色彩缤纷，却经不起轻轻一击。今日的一帆风顺，不代表永远的风平浪静。因此，人要常听逆耳忠言，多想拂心之事，直面随时到来的险恶环境，保持警惧之心，不断磨砺自己，培养勇敢、机敏、坚毅的品质，让人生的航行安全畅达。

---

① 逆耳：使人听了不高兴的话。
② 拂心：不顺心。
③ 进德：提高道德修养。
④ 砥石：磨刀石。
⑤ 快心：感到畅快或满足。

三

疾风怒雨[①]，禽鸟戚戚[②]；霁月[③]光风[④]，草木欣欣。可见天地不可一日无和气[⑤]，人心不可一日无喜神[⑥]。

【翻译】

狂风暴雨中，飞禽走兽惶恐不安；和风朗月里，花草树木欣欣向荣。可见天地之间不能一天没有祥和安宁的景象，人不能一天没有欢庆喜悦的心情。

【赏析】

月有阴晴圆缺，人有悲欢离合，豁达的人在阴云连绵中看到万物生长，忧伤的人在春和景明中想到沙尘漫天。

苏轼一生屡遭迫害，宦海沉浮，历尽坎坷，但他总能随遇而安，以积极的心态面对生活。他被贬杭州，眼中尽是湖光山色，写下"故乡无此好湖山"的诗句。后经"乌台诗案"，被贬黄州，一贫如洗。他自己开垦荒田，动手建造茅屋，像农人一样快活而满足。之后，他又被贬到惠州、儋州，始终不改乐天本性，也无风雨也无晴，一蓑烟雨任平生，终

---

① 怒雨：即暴雨。

② 戚戚：惶恐不安。

③ 霁（jì）月：雨过天晴后的明月。

④ 光风：雨止日出时的和风。

⑤ 和气：古人认为和气乃天地间阴气与阳气交合而成之气。引申指能带来吉庆的祥瑞之气。

⑥ 喜神：这里指欢喜的神态。

于成为旷世绝代的文化巨擘。

心若阳光，哪里都有春天。在尘世中行走，抓住一些美好放进囊中，人生道路愈是坎坷，愈是绚烂，愈是险要，愈是巅峰。

四

酞[1]肥[2]辛甘非真味[3]，真味只是淡；神奇卓异非至人，至人只是常。

【翻译】

厚重油腻辛辣甘甜都不是食物本来的味道，食物本来的味道只是清淡；人达到神妙超卓的地步，也不是最高境界，最高境界的人只是平常。

【赏析】

人间有味是清欢。年轻时向往轰轰烈烈，喜爱《水浒》里的江湖，《三国》里的权谋，《红楼》里的情天幻海，《西游》里的妖魔鬼怪。年纪大了，才知道世俗的生活，是普普通通，柴米油盐。最丰富的内涵，往往以最朴素的面目示人。孔子一生颠沛流离，生前不为人所重视，死后他的思想才发扬光大，成为伟大的哲人。杜甫只是中下层官吏，适逢

---

① 醲（nóng）：味道厚重。
② 肥：味道油腻。
③ 真味：食物本来的味道。

安史之乱，无以为家，这份艰辛和平常成就了其诗圣的历史地位。

当绚烂归于平淡，喧嚣归于沉寂，细品洗净铅华后的真醇之味，洞察繁华落尽后的简约之风，才明白平平淡淡从从容容是最真。

五

夜深人静独坐观心[①]，始知妄穷[②]而真独露，每于此中得大机趣[③]；既觉真现而妄难逃，又于此中得大惭忸[④]。

【翻译】

夜深人静独自坐下来观察心性，才知道虚妄的想法消失而真实的本性就会显露出来，每每在这个过程中能够领悟人生的真谛；既然觉察真实本性显露，但虚妄又摆脱不了，于是又在这时感到十分惭愧。

【赏析】

无论儒家、道家还是佛教，都主张反省自己。

《荀子·劝学》说："君子博学而日参省乎己，则知明而行无过矣。"《道德经》云"自知者明""自胜者强"，人贵有

---

① 观心：观察心性。佛教以心为万法的主体，无一事在心外，故观心即能究明一切事理。
② 妄穷：消除虚妄非分的想法。
③ 机趣：自然的情趣，即人生的真谛。
④ 惭忸（niǔ）：惭愧。

自知之明，能战胜自己才是真正的强大。佛经曰："一切业障海，皆从妄想生，若欲忏悔者，端坐念实相。"一切业障都是由妄想产生的，如果想要悔过，就要洞悉佛法真理。

反省则智明，让人顿悟，知晓更多人生哲理，明白生命的真正要义，即于此中得大机趣。然而，智明并不能自然达到"无过"的境界，只是能够认识到错误，懂得惭愧而已。想改正错误，还要以顽强的毅力战胜自己。真正的强大不是打败别人，而是战胜自己。

六

恩里[①]由来[②]生害，故快意[③]时须早回头；败后或反成功，故拂心处切莫放手。

【翻译】

接受恩惠时能够带来伤害，所以称心的时候要及早回头；遭受失败后反而取得成功，所以心意不顺的时候不要轻易放手。

【赏析】

恩宠是招祸的由头，听起来匪夷所思，但纵观历史，这样的事不胜枚举。清代和珅就是因宠得祸的典型。乾隆帝十分宠信和珅，任命他为领班军机大臣，还把幼女嫁给他的儿

① 恩里：接受恩惠。
② 由来：指事物发生的原因。
③ 快意：称心。

子，和珅一时权倾朝野。然而乾隆没死多久，嘉庆即赐和珅自尽，落个身败名裂的可悲下场。

失败后不灰心、不气馁，重新振作，卷土重来，是许多人的成功之道。秦末项羽和刘邦楚汉争霸，刘邦屡屡败于项羽，以至于自己的父亲、妻子都成为楚军的俘虏。但刘邦不断总结教训，发掘人才，屡败屡战，最终取得成功，逼迫项羽在乌江自刎。

失败乃成功之母，古今中外有识之士皆心会而付诸行动。

七

藜[①]口苋[②]肠者，多冰清玉洁[③]；衮衣[④]玉食[⑤]者，甘婢膝奴颜。盖志以淡泊明，而节从肥甘丧矣。

【翻译】

以藜菜和苋菜充饥的人，大多品行高洁；穿华服吃美食的人，甘心奴颜婢膝。因为志向由于淡泊而明确，节操在油腻甘甜中沦丧。

【赏析】

所谓藜口苋肠者，指的是因不愿趋炎附势而生活困迫的

---

① 藜（lí）：一种野菜，嫩叶可食，又叫灰灰菜。

② 苋（xiàn）：菜名，茎和叶可食。

③ 冰清玉洁：像冰那样清澈透明，像玉那样洁白无瑕。比喻人的品德高尚，操行纯洁。

④ 衮（gǔn）衣：古代天子及上公穿的礼服。

⑤ 玉食：美食。

人，比如南宋诗人陆游，一生主张抗击金兵，收复中原，屡屡受到打击和排挤。但他不愿妥协退让，改变政治立场，因此晚年穷困潦倒，常常以野菜充饥。他的爱国情怀受到人们的赞誉。反观一些锦衣玉食的人，为了荣华富贵趋炎附势，丧失人格尊严，为人不齿。宋代范讽还算是有胆有识的大臣，但他为了升官晋爵，不惜向自己的下属行贿，只因为那名下属是皇妃的亲戚。后来事情败露，范讽被迫辞职，一时被传为笑柄。

八

面前[1]的田地[2]要放得宽，使人无不平之叹；身后的惠泽[3]要流得长，使人有不匮[4]之思。

【翻译】

生前的心胸要放得宽广，让别人没有不公平的抱怨；死后的恩泽要流得长久，让别人有无穷尽的思念。

【赏析】

道家讲究谦下之德，谓“不争”。《道德经》说：“以其不争，故天下莫能与之争。”其中包含着深刻的辩证哲理。生

---

① 面前：面对着的地方。这里指在世时。

② 田地：原指耕种的土地。这里指心田、心地，即内心。

③ 惠泽：惠爱与恩泽。

④ 不匮（kuì）：不缺乏，无穷尽。

前斤斤计较，自己有所得，别人受到损失，心中定会产生抱怨。相反，生前不争，把利益让给别人，恩德泽被后世，死后定会让人怀念。

“我和谁都不争，和谁争我都不屑。”杨绛把这句话作为自己散文集的卷首题词，这正是杨绛内心的真实写照。她的作品深受欢迎，但她从来不搞宣传，不搞签名售书，她说：“我怕让本来不打算买我书的人买了我的书，误导读者。”杨绛就是这样心胸宽广，与世无争，却得到众人的敬仰，去世后愈加受到追捧和怀念。

九

路径窄处，留一步与人行；滋味浓的，减三分让人嗜[①]。此是涉世一极乐[②]法。

【翻译】

道路狭窄的地方，让出一步给别人行走；味道浓的食物，留下三分让别人品尝。这是涉世一个非常快乐的方法。

【赏析】

消除抱怨的方法是“不争”，得到快乐的方法是“分享”。

走在狭窄的山路上，迎面两人相持不下，谁也过不去。

---

① 嗜（shì）：喜欢。这里有一同品尝的意思。

② 极乐：非常快乐。

不如留出一步，与人方便。美酒佳肴，一个人吃没有滋味，留出三分与别人一起品尝，收获了美味也收获了友情。《诗经》说："投我以木瓜，报之以琼琚。匪报也，永以为好也。"分享不是报答，而是永结同好。一个盲人晚上出门，总要打灯笼。别人很奇怪，盲人解释说："灯照亮了别人，别人就不会把我撞倒。"这也是一种分享，在分享中彼此获得安全和满足。

赠人玫瑰，手有余香。玫瑰虽微，然而在赠花人和受花人心底弥漫一片温馨。你快乐，所以我快乐，生活本来就是这样。

一〇

作人无甚高远的事业，摆脱得俗情便入名流[①]；为学无甚增益[②]的工夫，减除得物累[③]便臻[④]圣境。

【翻译】

做人没有特别崇高远大的事业，摆脱低俗的情趣便可跻身名士的行列；治学没有特别增益的功夫，减除掉外物的干扰便能达到圣贤的境界。

---

① 名流：知名人士，杰出的人士。

② 增益：增加、补益。

③ 物累：外物给予人的拖累。

④ 臻：达到。

【赏析】

宋代理学家朱熹提倡“格物致知”，认为任何事物都有表里精粗，一草一木，皆含至理。明代王守仁年轻时笃信这一理论，见身边种有许多竹子，就对着竹子全神贯注地“格竹”，七日七夜不吃不睡，希望能格出竹子之理。最后心力交瘁，因此病倒，也没有格出任何结果。

王守仁格竹虽然失败了，但他摆脱一切世俗干扰，消除一切外物诱惑，这种至诚至专的精神，确是做学问的真途径。后来，王守仁总结经验教训，提出自己的“致良知”学说，从而成为儒家“心学”之集大成者。

一一

宠利①毋居人前，德业②毋落人后，受享③毋逾分外④，修持⑤毋减分中。

【翻译】

恩宠与利禄不要争在别人前面，德行与功业不要落到别人后面，物质享受不要超越本分，道德修行不要降低标准。

---

① 宠利：恩宠与利禄。
② 德业：德行与功业。
③ 受享：享受、享用。
④ 分外：本分以外。
⑤ 修持：修行。

【赏析】

关于恩宠利禄，关于奢侈享受，作者曾反复告诫，要心怀淡泊，谦让回避。因为宠利受享易遭人嫉妒，引人怨尤，是招灾惹祸的端由。世事无常，乐极生悲，一旦从云端跌落谷底，生命难以承受其重。与其这样，不如把精力放到修德业、养身心当中，淡泊名利，超脱世俗，远离纷争，安贫乐道，随遇而安，卸掉多余的物累，让生命变得轻巧灵动，人生也因此安闲舒适。严光是汉光武帝刘秀的同学，年少时就非常有名。东汉建立后，刘秀多次聘他为官，而他隐姓埋名，避走他乡，耕读垂钓。范仲淹称誉严光不慕富贵，不图名利，赞扬他“云山苍苍，江水泱泱。先生之风，山高水长”。

一二

处世让一步为高，退步即进步的张本[①]；待人宽一分是福，利人实利己的根基。

【翻译】

应付世事退让一步是高明，退步正是为前进做准备；对待他人宽容一分是福气，有利他人其实是有利自己的基础。

【赏析】

有些人常常为一点小事同他人争论得面红耳赤，结果嘴

① 张本：为了事情的发展而预先所做的安排，即准备。

上赢了，朋友的心却凉了。有些人为个人利益斤斤计较，争来了芝麻，却引起大家的警惕和厌恶，反而丢掉了西瓜。做人固然要坚持原则，守住底线，但在个人名誉或物质利益上如果能大度地退让一步，不仅不是懦弱，反而是高明之举。古时候胡常和翟方是学术知己，后来翟方名声日渐显隆，胡常心生嫉妒，常常私下里诋毁翟方。翟方主动派自己的门生到胡常那里请教问题，抬高胡常声誉。久而久之，胡常知道翟方的良苦用心，深感愧疚，尽释前嫌。翟方在与弟子的交流过程中，学到更多学问，自己的美名也传播得更远更广。退一步海阔天空，宽容一分使双方都受益匪浅。

一三

盖世[①]的功劳，当不得一个矜[②]字；弥天[③]的罪过，当不得一个悔字。

【翻译】

盖世的功劳，抵挡不住一个“矜”字；漫天的罪过，抵挡不住一个“悔”字。

【赏析】

一个人立下盖世功勋，本应功德圆满，但如果不能摆正

① 盖世：才能、功勋等压倒当代，没有人能比。
② 矜（jīn）：自尊自大、自夸。
③ 弥天：满天、漫天。

自己的位置，也许会是厄运的开始，其中的媒介，就是一“矜”字。官渡之战中，兵多将广的袁绍看不起势单力薄的曹操，刚愎自用，他的谋士许攸因此不满，投奔曹操，献计奇袭袁军粮草，袁绍因一个“矜”字输了战争。许攸自以为功大，屡屡口出狂言，轻慢曹操，曹操和手下将士不堪其辱，于是将其羁押斩杀。许攸也因为一个“矜”字丢了性命。平定河北后，曹操兵临赤壁，试图吞并东吴，由于轻视敌军，麻痹大意，中了东吴将领黄盖诈降之计，被火烧战船，又是因为一个“矜”字错失统一全国的绝好机会。这一连串胜负败亡，都归结到一个“矜”字上，碌碌如常人，更不可不引以为戒。

一四

事事要留个“有余不尽”[①] 的意思，便造物不能忌[②]我，鬼神不能损[③]我。若业必求满、功必求盈者，不生内变，必招外忧。

【翻译】

每件事都要留个“有余地，不穷尽”的心思，就是造物主也不能忌恨我，鬼神也不能伤害我。如果事业一定要求圆满，功

① 有余不尽：有余地，不穷尽。
② 忌：嫉妒、憎恨。
③ 损：伤害。

绩一定要求完美，不发生内乱，也会招来外患。

【赏析】

天宝年间，唐朝发展到巅峰：经济发展，物阜民丰，仓廪充实，物价低廉；国力强盛，统治区域直达西域；文化昌盛，诗词、音乐、舞蹈、书画等一片繁荣，整个社会臻于鼎盛。但一场安史之乱惊破统治者醉生梦死的《霓裳羽衣曲》，渔阳一声鞞鼓，帝国地动山摇，唐王朝从此胜景不再。天宝时期给后人最大的启示就是，当一切看起来都似乎完美，往往是危机四伏的时候。一个社会，一个人，都要在完美之中发现缺憾，在歌舞升平之中看到潜伏的刀光剑影，昼警夕惕，放盈戒满，做到进退自如。

一五

抗心[①]希古[②]，雄节[③]迈伦[④]，穷且弥坚，老当益壮。脱落俦侣[⑤]，如独象之行踪；超腾风云，若大龙之起舞。

【翻译】

具有崇高志向的人，追慕古人；具有高尚节操的人，超越常人。他们虽然贫穷，志向却更加坚定，虽然老迈却志气更加豪

---

① 抗心：高尚的志趣，崇高的志向。
② 希古：仰慕古人。
③ 雄节：高尚的节操。
④ 迈伦：超过一般人。
⑤ 俦侣：伴侣、朋友。

迈。离开朋友时，如大象独行；风云激荡时，如巨龙起舞。

【赏析】

具有雄心壮志和高尚品德的人，无论遭遇怎样的困难和打击，都不改初心，愈挫愈勇。贫穷会更加坚定他们奋发有为的决心，老迈会更加激发他们建功立业的豪情。周文王被殷纣王囚禁羑里，却始终没有忘记振兴周室。楚霸王项羽被困漳河，破釜沉舟，终于倾覆秦朝社稷。曹操老骥伏枥，志在千里，烈士暮年，壮心不已。古往今来一切杰出的人物，无一例外都具有这样的品行。他们蛰伏时，如踽踽独行的大象；腾飞时，如舞动乾坤的巨龙。我辈平凡之士，虽然不能有这样的壮举，但当效仿英杰，培育开阔的眼界、伟岸的胸襟、远大的志向、高尚的节操，即便不能成为圣贤，也当做一个有追求、有理想的人。

一六

粪虫[1]至秽[2]变为蝉，而饮露于秋风；腐草[3]无光化为萤，而耀采[4]于夏月。故知洁常自污出，明每从暗生也。

---

① 粪虫：粪土中产生的蛆虫。

② 秽：肮脏。

③ 腐草：腐烂的草。古人误认为萤火虫是腐烂的草变化而成，其实只是萤火虫将卵排在水边的草根处，次年化为成虫。

④ 耀采：光彩照耀。

【翻译】

粪土中的蛆虫极其污秽，蜕变为蝉，则在秋风中吸饮清露；腐烂的草没有光亮，化生为萤火虫，便在夏天的月夜光彩照耀。由此可知，纯洁常常从污秽中得到，光明每每从黑暗中产生。

【赏析】

古人用蝉来比喻高洁。虞世南写道："垂緌饮清露，流响出疏桐。居高声自远，非是借秋风。"托物寓意，以蝉自况，表达不与世俗苟同的品格。古人以为，高洁的蝉，其幼虫却出自污秽，以粪土为食。由此可见，高洁与污浊并没有固定界限。

萤火虫是黑夜里光明的使者。查慎行诗云："月黑见渔灯，孤光一点萤。微微风簇浪，散作满河星。"暗夜河上散落的萤火虫，像无数亮晶晶的小星星，愉悦我们的眼，点亮我们的心。如星辰闪烁的萤火虫，却来自幽暗的腐草。由此可见，光明与黑暗，也不是一成不变。

洁自污出，如道德品行，原本庸俗的人也能修炼出高尚情怀；明从暗生，如人生修为，出身卑微的人也能成就伟大功业。

一七

处世不必邀功[1]，无过便是功；与人[2]不要感德，无怨

---

① 邀功：向上级夸耀功劳以谋取好处。邀，希求。
② 与人：援助别人，给他人恩惠。

便是德。

【翻译】

处在世上不必求取功劳，没有过错就是功劳；援助别人不必要求感恩，不受抱怨便是恩德。

【赏析】

大丈夫生于世间，谁不渴望建功立业？谋求功业要凭自己的真才实干，不可投机取巧，弄虚作假，将他人功劳据为己有。其实，只要立足岗位，做好分内之事，已经是大功一件，何必再去贪求额外的功劳？贪功招怨，终是祸根。施恩是德，处理不当也会因恩成仇。施恩图报，把恩惠当作交易的筹码，附加额外的条件，是对善良的背叛。

只有剔除功利的羁绊，正义和善良才能回归。

一八

事穷势蹙[①]之人，当原[②]其初心；功成行满[③]之士，要观其末路[④]。

【翻译】

对于事败途穷、走投无路的人，应当还原他最初的志向；对

① 蹙（cù）：紧迫、困窘。

② 原：还原。

③ 功成行满：指功德成就，道行圆满。

④ 末路：指最后一段路程。这里指结局。

于功德成就、道行圆满的人，要看他最后的结局。

【赏析】

如果说人生是一条路，我们在路上行走，有些人风驰电掣，有些人步履蹒跚，有些人春风得意，有些人历尽坎坷，有些人功成行满，有些人事穷势蹙。

无论当前处于什么样的状态，都要着眼未来。山重水复疑无路，不必灰心丧气。想一想当初的志向，想一想要奔赴的目标，抖落身上的尘土，坚强地站起来，继续勇敢地走好下面的路。即便功成行满，也不可忘乎所以。人生的道路很漫长，前面还有挫折和风浪，收拾起沉甸甸的行囊，继续奔赴风雨如晦的远方。

笑到最后才笑得最好，想想最初的志向，看看末路的结局，今天的一切遭遇都会释然。

一九

富贵家宜宽厚而反忌克①，虽是富贵而贫贱其行②，如何能享？聪明人宜敛藏③而反炫耀，是聪明而愚懵④其病，如何不败！

---

① 克：刻薄寡恩。
② 行：行为。
③ 敛藏：隐藏起来。
④ 愚懵（měng）：愚笨。

【翻译】

富贵人家应当宽厚却反而猜忌刻薄，虽是富贵其实是贫贱的行为，怎么能享受富贵？聪明的人应当低调敛藏却反而炫耀张扬，看起来聪明其实是愚笨的毛病，怎么能不遭遇失败！

【赏析】

富贵者应有富贵者的气度风范，否则富贵难以长久。聪明人自有聪明人的行为方式，否则会招致败亡。

何为富贵者的气度风范？宽厚仁慈。《道德经》云：“天之道，损有余而补不足。”用自己多余的财富接济穷人，是符合天道的做法。相反，为富不仁、猜忌刻薄，有损天道，自然不能长久。

何为聪明人的行为方式？低调敛藏。聪明人之所以聪明，在于知道进退，明白得失。张扬炫耀让自己处于风口浪尖之上，除了树敌招忌，不会有任何裨益。

对财富愈贪婪愈容易失去，对世事愈算计愈容易吃亏。

二〇

宁守浑噩①而黜②聪明，留些正气还天地；宁谢③纷华

① 浑噩：混沌无知，淳朴。
② 黜（chù）：废除、取消。
③ 谢：委婉地推辞拒绝。

而甘淡泊，遗个清名[1]在乾坤。

【翻译】

宁愿坚守混沌淳朴而拒绝聪明机巧，在天地间保留些浩然刚正之气；宁可谢绝繁华而甘心恬淡寡欲，在人世间留下清白美好的名声。

【赏析】

道家对聪明和繁华一直颇多微词，主张绝智弃辩、少私寡欲。聪明和机巧导致世人尔虞我诈，不择手段地追求利益、满足欲望。而繁华富丽又激发人们投机取巧、贪婪无厌。世界因此变得反复无常、动荡不安。拒绝聪明机巧就是坚守浑噩淳朴，淳朴则巧伪不作。如果大家都浑噩淳朴，这个世界就不会有虚伪，充满了浩然正气。拒绝繁华就要甘心淡泊，淡泊则富贵之心息矣。如果大家都恬淡寡欲，这个世界就清明朗丽，污浊不兴。当然，浑噩并不是让大家糊里糊涂混日子，而是回归抱朴守拙的本性。

二一

降魔[2]者先降其心，心伏则群魔自退；驭横[3]者先驭其气，气平则外横不侵。

---

① 清名：清白美好的名声。

② 魔：佛教把一切扰乱身心、妨碍修行的心理活动均称为魔。

③ 驭横：控制强横无理的势力。驭，控制。

【翻译】

降魔先要降服自己的内心，自己的心魔被降服那么群魔自然退却；控制蛮横的势力先要控制自己的情绪，自己的情绪平稳那么外面的蛮横势力便无法入侵。

【赏析】

人需要面对两个方面的恶魔，一个来自外界，比如权势的压迫、富贵的诱惑、逆境的打击等；一个来自内心，比如胆怯、贪婪、浮躁、执念、怨恨等。人最难的是战胜自己，只有先降服内心的恶魔，战胜精神上的缺陷，让自己变得强大，才能抵御群魔入侵。

蛮横无理的势力也可以认为是群魔之一，想要控制它，就要增强自身的定力，避免情绪起伏不定。时而愤怒，时而恐惧，时而浮躁，这些都是削弱自己的大敌。保持心绪平稳，泰山崩于前而色不变，再强大的势力也无法动摇我们的心。

犹如面对疾病，自己身体强壮，免疫力强，自然百病难侵。

二二

养弟子[①]如养闺女[②]，最要严出入，谨交游[③]。若一[④]接

---

① 弟子：指学生。

② 闺女：未婚女子。古代未婚女子住在深闺之中，故称闺女。

③ 交游：结交朋友。

④ 一：一旦。

近匪人[①]，是清净田中下一不净的种子，便终身难植嘉苗矣。

【翻译】

教育学生好比养育深闺女子，最要紧的是严格限制他的出入，谨慎结交朋友。如果一旦接近行为不端的人，那么就是在清洁纯净的田地里种下一颗不纯净的种子，一辈子难以培育出好的禾苗了。

【赏析】

古代养女儿，有钱人家会在后院修建阁楼，专门供女儿居住，限制出入，平时不允许她接近外人，为的是防范被心术不正的登徒浪子勾引，做出有伤风化之事。即使是贫贱家庭的女孩子，父母也绝少允许其抛头露面。这是男女不平等的表现，却为士大夫津津乐道，被认为是男女之大防。这里，作者把养闺女的“经验”推广到教育学生，要严防他们接触心术不正之人，否则容易被诱导学坏。人一旦感染恶习，恐怕终身难以彻底清除。正如种植禾苗，即便是良田净土，杂交的种子也长不出好的庄稼。作者以女子类比虽然表现出其封建顽固性，但近朱者赤、近墨者黑的道理却适用于心智未熟的青春少年。

---

① 匪人：行为不端的人。

二三

欲路[1]上事，毋乐其便而姑[2]为染指，一染指便深入万仞；理路[3]上事，毋惮[4]其难而稍为退步，一退步便远隔千山。

【翻译】

人欲方面的事情，不要喜欢其便利而姑且伸手，一旦伸手便跌入万仞深渊；道理方面的事情，不要害怕它艰难而稍微退却，一旦退却就相隔千山。

【赏析】

人的欲望与生俱来，所以私欲方面的事情，简单便捷，染指即会。而天理正道则需要勤奋学习，所以很多人望而却步。当你感到行走轻松的时候，一定是在走下坡路，正如放纵欲望，虽然便捷，一失足便是万丈深渊，想要回头已遥不可及。当你感到路途艰辛，说明你在走上坡路，尽管步履蹒跚，一直走下去，终会有所成就。人的成长成熟，就是用理性排除人性中的消极因素，能够控制私欲孽情。

---

① 欲路：即儒家讲的“人欲”。

② 姑：暂且、苟且。

③ 理路：即儒家讲的“天理”。

④ 惮（dàn）：害怕、畏惧。

二四

彼富我仁，彼爵我义，君子故不为君相[①]所牢笼[②]；人定胜天，志壹动气[③]，君子亦不受造化之陶铸[④]。

【翻译】

别人富裕我仁爱，别人身居高位我正义，君子因此可以不被君主和宰相所束缚；人一定能胜天，志向专一能激发潜能，君子也不接受命运的摆布。

【赏析】

出身贫贱，没有高官厚禄、荣华富贵，是不是就低人一等？不！即使没有富足的物质生活，但拥有仁爱正义这些精神财富，就不应该有任何自卑和不满，照样可以在权贵面前赢得尊严！滕国是战国初期的一个小国，滕文公向孟子请教治国之道，而后在国内推行仁政，实行礼制，兴办学校，改革赋税，使滕国人丁兴旺，国富民强，避免了被大国凌辱。国家命运如此，个人命运也不例外。西汉末年严遵在成都以占卜为生，生活窘迫，但他矢志于学，专心研究《易经》，最终成为鸿儒大师。这些事例说明，人只要有坚定的意志，充分激发自身潜能，一定能战胜天意，改变命运，成就属于自

① 君相：君主和宰相。
② 牢笼：这里指限制、束缚。
③ 志壹动气：志向专一，激发潜能。
④ 陶铸：这里是摆布的意思。

己的事业。

二五

立身[①]不高一步立，如尘里振衣[②]，泥中濯足[③]，如何超达[④]？处世不退一步处，如飞蛾投烛、羝羊触藩[⑤]，如何解脱？

【翻译】

做人如果不能站位高一点，像在灰尘里拍打衣服，泥水中洗濯双脚，怎么能够超脱？处世如果不能向后退一步，像飞蛾往火里扑，羊角缠在篱笆上，怎么能解脱？

【赏析】

做人要高标准，处世要低姿态。

所谓高标准，就是要立志高远，见识卓越。做人如果不能超越平庸，就像把衣服放在灰尘里，把双脚放在泥水里，难以超脱。

所谓低姿态，就是不与人争，不为事牵，在功名利禄前退后。处世如果不能退避名利，无异于飞蛾与烛火纠缠，羊

---

① 立身：做人、处世。

② 尘里振衣：在灰尘里拍打衣服。

③ 泥中濯足：在泥水里洗脚。

④ 超达：超脱旷达。

⑤ 羝（dī）羊触藩：公羊的角缠在篱笆上，进退不得。比喻进退两难。羝，公羊；藩，篱笆。

角与篱笆纠缠，自己最后终将被名利所吞噬。

高标准做人，低姿态处世，身心不为世俗所累，高士达人的安乐不过如此。

二六

人人有个大慈悲，维摩[①]屠刽[②]无二心也；处处有种真趣味，金屋[③]茅檐非两地也。只是欲闭情封，当面错过，便咫尺[④]千里矣。

【翻译】

每个人都有一颗慈悲之心，维摩诘和屠夫、刽子手心性没有差别；每一处都有真正的情趣味道，金碧辉煌的富家宅院和简陋的穷家草房并没有截然不同的差别。人心只是被欲望和感情封闭，当面错过了大慈悲和真趣味，与它们看起来近在咫尺，实际上远隔千里。

【赏析】

一切众生皆有佛性。无论是救人于苦难的维摩诘，还是心狠手辣的屠夫刽子手，他们内心深处都有大慈大悲的种子。那些荼毒生灵的人之所以表现出与大慈大悲相反的心性，是

① 维摩：即维摩诘，佛教人物。与释迦牟尼同时代，辅佐释迦牟尼教化世人，被称为菩萨化身。

② 屠刽：屠夫和刽子手。屠夫以宰杀家畜为生，刽子手以执行死刑为业。

③ 金屋：金碧辉煌的宅院。

④ 咫尺：咫和尺都是长度单位。咫尺形容很短的距离。

因为物欲和私情封闭了慈悲，张扬了邪恶，以至于与佛法当面错过。只要解除物欲和私情，无论富裕还是贫穷，都能找到真正的人生价值。

二七

进德修行，要个木石的念头①，若一有欣羡②便趋欲境；济世经邦，要段云水的趣味③，若一有贪著④便堕危机。

【翻译】

增进道德，修养品行，要有木头和石块一样无欲无求的思想，如果一旦产生喜爱羡慕的感情便陷入了欲望的境地；济世安民，治理国家，要有白云和流水一样的趣味，如果一旦产生了贪恋之心就堕入了危险的处境。

【赏析】

提高修养便须抵制情欲、淡泊名利，关键是坚定信念、笃定内心。正如木头和石块，没有欲望，没有感情，不会抱怨也不会见异思迁。

济世经邦则需要做到清正廉明，摆脱对权力和财富的贪恋，无论得意失意，无论在朝在野，都能进退自如，自在天

---

① 木石的念头：木头和石块都没有欲望和感情，这里比喻没有情欲。

② 欣羡：喜爱羡慕。

③ 云水的趣味：白云和流水不受限制，自由流动，这里比喻摆脱情欲的束缚。

④ 贪著：贪恋。

性，物我两忘。

木石和云水所代表的性情大为不同，前者坚定不移，适合于对德业的追求；后者随物赋形，灵活变通，适合于做具体的功业。它们又有共同属性，那就是毫无机心。如果人能够把二者结合起来，兼具坚定与圆融，兼有信念与趣味，一定会建立不朽伟业。

二八

肝受病[1]则目不能视，肾受病则耳不能听。病受于人所不见，必发[2]于人所共见。故君子欲无得罪[3]于昭昭[4]，先无得罪于冥冥[5]。

【翻译】

肝脏有病，眼睛就会看不到物体，肾脏有病，耳朵就会听不见声音。病发生在人们看不见的地方，但一定显现在大家都看得见的地方。所以君子如果不想在光天化日之下犯错，就要先在晦暗隐蔽的场所没有过错。

【赏析】

中医认为，肝开窍于目，肾开窍于耳。就是说眼睛是肝

① 受病：得病。
② 发：显现。
③ 得罪：冒犯。这里是犯下罪过的意思。
④ 昭昭：明亮、显著，此处指光天化日之下。
⑤ 冥冥：昏暗的样子，此处指阴暗的地方。

脏的外在表现，肝脏有病，影响视力；耳朵是肾脏的外在表现，肾脏有病，影响听力。作者以此类比，告诫人们要想不把错误暴露于众目睽睽之下，就要防范错误在冥冥晦暗之中。

古人格外重视“慎独”，要求在没人监督的情况下，自觉保持操守，不可放松警惕。清代河南巡抚叶存仁，僚属趁深夜无人给他赠送礼物，叶存仁写诗表明心迹：“感君情重还君赠，不畏人知畏己知。”其实，贪婪行为一旦发生，欲念更盛，就会逐渐形成习惯。最初也许己知人不知，时间长了，一定会天下皆知。要想人不知，除非己莫为，屏除物欲，防止过错，要从细微发端之处做起，从晦暗独处之时严格要求自己。

二九

福莫福于少事，祸莫祸于多心①。惟更事②者方知少事之为福；惟平心③者始知多心之为祸。

【翻译】

人生的福分莫过于少些烦心事，人生的祸端莫过于猜疑心太重。只有经历更多的事才知道少些烦心事是福分；只有练就平常心才知道猜疑心过重是祸端。

---

① 多心：猜疑过重。
② 更事：反复出现的事。这里指事情繁多。
③ 平心：心平气和，此处指练就平常心。

【赏析】

隐居之士远离世俗，少了许多烦心之事，因此过得从容潇洒。陶渊明说“心为形役”，指的就是退隐前事多闲少不自由的状态。所以官途中的聪明人，会想办法保持一份平常心，享受一份清闲福，如西汉张良、明初汤和等人，功成名就之后，隐形韬迹，不问朝廷之事，过着神仙一样的日子，为人称慕。而那些耽溺于世俗的人，结局大多不妙。西汉霍光、唐代长孙无忌、明代张居正等，都是能臣，他们劳力劳心，要时刻提防暗处的戈矛刀剑，殚精竭虑地保住权位。尽管如此，他们或于生前，或于身后，终究难逃灾祸，不可不为后世鉴戒。

三〇

我有功于人不可念[1]，而过[2]则不可不念；人有恩于我不可忘，而怨则不可不忘。

【翻译】

我对别人有功劳，不可惦念，对别人有伤害则不能不惦念；别人对我有恩不能忘记，对我有怨恨则不能不忘记。

【赏析】

老子强调“以德相交”“善者吾善之，不善者吾亦善

① 念：惦记。
② 过：错误。这里是伤害的意思。

之”，别人对自己有恩，应当记住，以德报德；别人对自己有怨，应当忘记，依然以一颗善心对待。孔子则主张“以直报怨”，就是以公正率直的态度对待怨恨。不过，孔子也特别看重“恕”，就是宽以待人。自己对别人有功，不要当作资本，试图得到回报。对人宽恕，对己就应当严格，如果伤害了别人，要牢记在心，并且找机会进行补偿。

三一

心地[①]干净，方可读书学古。不然，见一善行，窃以济私[②]；闻一善言，假以覆短[③]。是又“借寇兵[④]而赍盗粮[⑤]”矣。

【翻译】

内心纯洁，才能诵读学习古代典籍。如果不是这样，见到一些善行，就拿过来窃为己有；听到一句善言，就用它掩饰自己的过失。这是借给敌人武器还要送给盗贼粮草呀。

【赏析】

《大学》开篇说：“大学之道，在明明德，在亲民，在止于至善。”揭示了读书学习的目的在于提升品德，并将所学应

---

① 心地：佛教指心，即思想、意念等。儒家指心性存养。

② 窃以济私：偷偷拿来满足自己的私欲。

③ 假以覆短：拿过来掩盖自己的过失。

④ 借寇兵：借给敌人武器。

⑤ 赍（jī）盗粮：把粮食送给盗贼，比喻做危害自己的事。

用于生活，最终使人达到完善的境界。然而心术不正的人，却把读书当作伪装自己的手段。他们窃取书上记载的善行，移花接木成为自己的“壮举”；他们借用书中的名言警句，向人展示自己的高深。他们张口圣人，闭口道学，实际生活中却背道而行。他们用书上的道德理论要求别人，自己却学习和实践着诡道和诈术。鲁迅说：“一部《红楼梦》，经学家看见《易》，道学家看见淫，才子看见缠绵，革命家看见排满，流言家看见宫闱秘事……”就是说同样一本书，对于不同人有着不同的启迪。当然，读书有副作用，错误不在书，而在于心地肮脏的人。

三二

读书不见圣贤[①]，如铅椠[②]佣[③]；居官不爱子民，如衣冠盗[④]；讲学不尚[⑤]躬行[⑥]，如口头禅；立业不思种德，如眼前花。

【翻译】

读书如果领悟不了圣贤的思想，就像一个抄写书籍的雇工；

① 圣贤：这里指圣贤的思想。
② 铅椠（qiàn）：古人书写文字的工具。
③ 佣：佣人、雇工。
④ 衣冠盗：拿俸禄的盗贼。衣冠指官僚。
⑤ 尚：尊崇、注重。
⑥ 躬行：指身体力行，亲身实行。

做官如果不懂得爱护黎民百姓，就像拿着俸禄的盗贼；讲学论道如果不能够身体力行，就像挂在嘴边却未经证悟的禅语；建立功业如果不追求布施恩德，就像转眼即逝的花朵。

【赏析】

读书的目的不在于背诵华词丽句，而在于领悟圣贤的思想。宋代大儒程颢说："读书要玩味。"所谓"味"，就是深邃的哲理。

做官的目的不在于攫取财富，而在于造福民众。杜甫有诗："致君尧舜上，再使风俗淳。"这不仅是古代士人的理想，也是官员的职责所在。

研习学问的目的不是附庸风雅，而是学以致用。扬雄说："学，行之，上也；言之，次也；教人，又其次也；咸无焉，为众人。"如果行之、言之、教人都做不到，不如不学。

建立功业的目的不是传播名声，而是布施恩德。汉代名将霍去病抗击匈奴，为汉朝解除了北方的威胁。霍去病功在社稷，恩在民族，因此得以青史留名。

读书、居官、讲学、立业，虽所属领域不同，但最终的落脚点，都在于一个"德"字。

三三

人心有部真文章，都被残编断简[①]封固了；有部真鼓

① 残编断简：残缺不全的书籍。此处指杂乱的书籍。

吹[1]，都被妖歌艳舞湮没了。学者须扫除外物，直觅本来，才有个真受用[2]。

【翻译】

人们的内心有一部真正的文章，都被乱七八糟的书籍封闭固塞了；有一首真正的好乐曲，都被妖冶艳丽的歌舞湮没了。研究学问的人必须排除外物干扰，直接寻觅内心的本性，才能真正受用无穷。

【赏析】

禅宗讲求顿悟，重视师徒心心相印，不主张文字相传。他们认为，文字无法表达真理，研读者又加入自己的理解，更使佛理在传播过程中受到歪曲。只有内心的顿悟才最接近本真。

禅宗不立文字，或许过于苛刻，但读书要读内心，却是万代不易的真理。譬如读诗歌，如果不能融入读者的感情，再优美的语句也只是文字的罗列。譬如读诸子，如果不能结合世事去领悟其中哲理，再熟练的背诵也只是语言的复读。那些乱七八糟的书，假如不能用心甄别，取其精华，去其糟粕，内心的真善美可能被其封闭，反而不利于释放本性。

书籍如此，一切文艺作品无不如此。开卷未必有益，学者当仔细鉴别，有所取舍。

---

① 鼓吹：古代用鼓、钲、箫、笳等乐器合奏的乐曲，此处泛指音乐。
② 受用：享用、享受。

三四

苦心[1]中常得悦心[2]之趣，得意时便生失意之悲。

【翻译】

在费尽心思的过程中能常常得到喜悦的情趣，而志得意满的时候则容易产生失意的悲伤。

【赏析】

困苦之中，不向命运低头，费尽心思克服阻力，坚忍不拔负重前行，内心痛并快乐着。自己辛勤奋斗取得的成功，与唾手可得的财富终究不同，其中的喜悦只有当事者才能体会。

已经取得成功的人，最应该警惕的是随时可能出现的失败和挫折。从山脚爬向山顶，能从劳累中看到希望，从山顶跌落山崖，却只有痛苦和伤痕。

明末李自成起义，仅用十几年就打进北京城，逼死崇祯皇帝，体会了“苦心中常得悦心之趣”。春风得意之时，李自成开始奢靡地享受胜利果实，沉浸于京城的花花世界，放松了对复杂局势的把控。明朝旧将吴三桂引清兵反扑，李自成只在北京城呆了四十二天就仓皇撤离，不久战败被杀，验证了“得意时便生失意之悲”。

---

① 苦心：此处指费尽心思。

② 悦心：愉悦的心情。

三五

栖守[①]道德者，寂寞一时；依阿[②]权势者，凄凉万古。达人观物外之物[③]，思身后之身[④]，宁受一时之寂寞，毋取万古之凄凉。

【翻译】

恪守道德的人，忍受一时的寂寞；依附权势的人，忍受万古的凄凉。通达的人看到物质之外的事物，想到死后的名声，宁可忍受一时的寂寞，也不要忍受万古的凄凉。

【赏析】

很多时候，人们在物质生活和精神生活之间难以取舍。大多数人只顾及当前的声色犬马，因此阿附权势、放弃尊严，却看不到物质之外，还应有更高层次的精神生活。追求物质享受和追求精神生活哪一个更有价值？前者愉悦一时，死后遭万人唾骂，凄凉万古。后者寂寞一时，身后受万人景仰，荣耀百代。达人高士看透了这一点，宁愿忍受生前的贫困、坎坷，也不会卑躬屈膝，受权势驱使，做出有损道德之事。苏武出使匈奴，被囚禁蛮荒十九年，却持节不屈，表现了栖守道德的坚贞。他的生活是艰苦的，渴饮窟冰，饥餐天雪；

---

① 栖（qī）守：恪守、坚守。栖，居留、停留。

② 依阿：曲从附顺。

③ 物外之物：这里指物质之外的事物，如道德修养、哲理学识、精神生活等。

④ 身后之身：指人死后遗留下来的精神财富，如名声等。

他的处境是寂寞的，落日孤绝，鸿雁泣血。但他的精神不朽，足以流芳百世。

三六

学者有段兢业[①]的心思，又要有段潇洒[②]的趣味。若一味敛束[③]清苦，是有秋杀[④]无春生，何以发育万物？

【翻译】

研究学问的人不仅要有兢兢业业的态度，还要有超逸脱俗的趣味。如果一味收敛约束、清贫寒苦，人生相当于只有秋天的万物肃杀，而没有春天的生机盎然，这样如何能使万物萌发生长呢？

【赏析】

学者治学，既要兢兢业业，又要超逸绝俗。兢兢业业能够把学问做到实处，超逸绝俗能够让灵感迸发出思辨的光辉。“兢业”使学问厚重，潇洒使学问灵动。“兢业”是踏踏实实上楼梯，潇洒是“更上一层楼”后舒展胸襟。

---

① 兢业：即兢兢业业，形容做事谨慎、认真。
② 潇洒：超逸绝俗，洒脱不羁。
③ 敛束：收敛约束。
④ 秋杀：秋天万物肃杀，一派萧条。

三七

真廉无廉名，立名[①]者正所以为贪；大巧[②]无巧术，用术[③]者乃所以为拙。

【翻译】

真正的清廉不追求清廉的名声，树立清廉名声的人恰恰是为了贪婪；真正的聪明不使用巧诈的手段，使用巧诈手段的人正好暴露了笨拙。

【赏析】

贪恋权力、贪占财物、贪享富贵是贪婪，贪图名声也是贪婪。名声可以置换成权力、财富。西汉末年，外戚王莽生活简朴，为人谦恭，孝悌友爱，勤奋好学，是公认的道德楷模。一次他的儿子杀死一个家奴，这在当时不算大事，他却逼迫儿子自杀。王莽这样攫取名声，换取权力，最后废汉自立，露出了贪婪的真面目。

王莽热衷立名，看似聪明，其实只是一种“巧术”。大巧用道，中巧用术，下巧用力。遵循事物的发展规律，才是真正的聪明。凭借权术、诈术，看似机巧，其实已经暴露了自己的拙劣。王莽自立后，托古改制，就是背“道”而驰，注定难以长久。

---

① 立名：树立名声。

② 大巧：指真正聪明。

③ 用术：使用技巧、手段。

大廉无名，是真道德；大巧无术，是真智慧。

三八

人知名位[1]为乐，不知无名无位之乐为最真；人知饥寒为忧，不知不饥不寒之忧为更甚[2]。

【翻译】

人们只知道拥有名声和地位是快乐的事，却不知道没有名声没有地位时得到的快乐才是最真实的；人们只知道忍受饥饿寒冷是忧虑的事，却不知道没有饥饿没有寒冷的忧虑更严重。

【赏析】

世俗之人认为快乐就是有名有位，这样就可以得到权力和财富；而忧愁就是饥饿和贫寒，这样身心会遭受折磨。超脱的人，看到名位的背后，是无处不在的凶险和低眉折腰的卑屈，是权力和财富带来的穷奢极欲，以及由此导致的道德沦丧。无名无位，也就无贪无欲、无牵无挂，不用为世俗琐事殚精竭虑，不需为进退荣辱担惊受怕。这样的生活，能让人睡得安稳，吃得香甜，看得见最温暖的阳光，听得见最惬意的笑声，享受到最真实的快乐。

---

① 名位：名声和地位。

② 更甚：更进一步。

三九

为恶而畏人知，恶中犹有善路[1]；为善而急[2]人知，善处即是恶根[3]。

【翻译】

做坏事但畏惧被别人知道，邪恶中还有转为善良的途经；做好事急于让别人知道，善良中包含着恶的根苗。

【赏析】

世上万物皆有联系，矛盾对立的事物在一定条件下也可能相互转化，比如祸福，比如善恶。周处为祸乡里，周围人都以为大患。后来周处知道大家厌恶他，非常震惊，于是立志改过，最终成为对国家有用的人。作恶的人，如果怕别人说他恶，说明良心未泯，尚有羞耻之心。羞耻之心是道德的基础，对恶人加以教育劝导，他可能成为一个向善好学之人。相反，为善的人热衷于宣传自己的善事，传播自己的名声，说明他对名声的追求超过了善良本身。

邪恶止于羞耻，需要舆论引导；善良源自本性，无需名声传播。

---

① 善路：向善学好的途径。
② 急：迫切。
③ 恶根：产生邪恶的根苗。

四〇

福不可徼[①]，养喜神[②]以为招福之本；祸不可避，去杀机[③]以为远祸之方[④]。

【翻译】

福运不是求来的，培养欢喜的心态是招来福运的基础；灾祸不能够避免，去除杀伐的念头是远离灾祸的方法。

【赏析】

内心阳光的人，有着积极乐观的处世态度，对人和善，做事勤奋。爱笑的人运气不会差，人缘好，百事顺，随时能遇到贵人相助；顺境时乘风破浪，逆境中披荆斩棘，总能找到搭乘的航船和栖息的港湾。

性情阴鸷的人，心中充满怨恨，看到的世界也阴晦黑暗。这样的人悲观愤世，眼里只有仇人，没有朋友。他们前行的道路上，人人是绊脚石，处处有撞船礁，灾祸自然如影相随。所谓祸不单行，指的就是灾祸之后心情不好，导致新的坎坷接踵而来。

福不可徼，祸不可避，招福远祸最好的办法就是脸上挂着微笑，心中忘记怨恨。

---

① 徼（yāo）：同“邀”，招致、求取。

② 喜神：指欢喜的心态。

③ 杀机：杀人的念头。

④ 方：办法。

四一

十语九中未必称奇，一语不中，则愆尤[①]骈集[②]；十谋九成未必归功，一谋不成，则訾议[③]丛兴[④]。君子所以宁默毋躁、宁拙毋巧。

【翻译】

十句话说中九句，未必有人称赞你高明，一句话说不中，各种指责就会集中过来；十次谋划九次成功，别人未必把功劳归于你名下，一次谋划不成功，各种诋毁都会一起兴起。所以君子宁可沉默不可浮躁，宁可笨拙不可自作聪明。

【赏析】

范仲淹曾作文提倡"宁鸣而死，不默而生"，是说忠臣要敢于犯言直谏，对奸邪行为不能沉默不语。这段话中的"宁默毋躁"，则是指出谋划策时要谨慎周全，不可草率行事。两句话因为语境不同，所以一个提倡敢言，一个劝导慎言。

世俗中的人，大多怀有嫉妒心，潜意识中贬低别人、抬高自己。对于别人比自己强的地方，视若不见，对别人的失误则幸灾乐祸；对别人的成就轻描淡写，对别人的过错则横加指责。君子无法改变别人，但可以改变自己。宁默毋躁，

---

① 愆（qiān）尤：过失，此处引申为指责。

② 骈集：凑集、聚会。

③ 訾（zǐ）议：评论人的短处。訾，说人坏话。

④ 丛兴：一起兴起。

少说话，多思考，减少自己的失误，不给对手留下攻击的口实。君子不去伤害别人，但要学会保全自己，这是处世的学问，生存的智慧。

四二

天地之气，暖则生，寒则杀。故性气[①]清冷者，受享亦凉薄[②]。惟气和心暖之人，其福亦厚，其泽亦长。

【翻译】

天地之气，温暖则万物生长，寒冷则万物凋零。所以性情脾气清高冷漠的人，能享受到的福报也浅薄。只有性情和顺心肠温暖的人，他的福报才会深厚，他的恩泽才会长久。

【赏析】

春临大地，和风送暖，南燕北归，树茂花艳。人是大自然孕育的生灵，与大自然有相同的秉性，喜暖不喜寒。暖则生机盎然，寒则肃杀凋零。所以对人而言，心暖气和至关重要。做买卖需要人缘，朋友多财路广，讲究的是和气生财。家庭成员之间可贵的是和睦亲近，父慈子孝，兄友弟悌，如此才能家和万事兴。得一“暖”字，人心中才能生出一团和气，心地宽广，乐观通达，无论在家在外都能妥善处理各种关系，无论顺境逆境都能积极面对。这样的人，天地包容，

---

① 性气：性情脾气。

② 凉薄：浅薄、微薄。

万物协同，不求福报，福报自来。

四三

天理[①]路上甚宽，稍游心[②]，胸中便觉广大宏朗；人欲[③]路上甚窄，才寄迹[④]，眼前俱是荆棘泥涂[⑤]。

【翻译】

天理的道路十分宽广，稍加留意，胸中就感觉到宏大明亮；人欲的道路十分狭窄，稍有涉足，眼前看到的都是荆棘泥泞。

【赏析】

儒学发展到宋代，二程、朱熹等人提倡“存天理，灭人欲”，其学说被称为“理学”，在后世逐渐发展为官方意识形态。现在大多数人对此持批判态度，认为理学禁锢了人们的思想，扼杀了创造力。其实，宋儒最初提倡“存天理，灭人欲”并无可厚非。

所谓“天理”，指的是天道、自然法则、事物的本来面目，与道家的“天性”，佛家的“本真”并无太大区别。所谓“人欲”，指的是超出人的基本需求之外的欲望，如自私、贪婪、淫欲等。

---

① 天理：原指自然法则，后指伦理纲常。

② 游心：潜心、留心。

③ 人欲：人的欲望嗜好。

④ 寄迹：暂时栖身。这里是涉足的意思。

⑤ 涂：泥巴。

《礼记·乐记》中说："好恶无节于内，知诱于外，不能反躬，天理灭矣。"对于内心的好恶没有节制，深陷于外界的诱惑，不能反躬自省，那人就不成样子了。

四四

一苦一乐相磨练，练极[1]而成福者，其福始久；一疑一信相参勘[2]，勘极而成知者，其知始真。

【翻译】

艰苦和快乐交替可以磨砺锻炼自己，磨炼到极致就成就幸福，这样的幸福才能长久；将怀疑和信任相互印证领悟，参勘到极致就成为学问，这样的学问才最真实。

【赏析】

真正见过世面的人，既会讲究，也能将就；能享受最好的，也能忍受最坏的。经历过大喜大悲、大苦大乐的人，看透世事，无欲无求，内心波澜不惊，尽情享受岁月静好。这样的人，便是至福之人。

对于学问，思索的过程，就是怀疑求证的过程。无论知识来自书本还是来自课堂，都是别人的知识，这些知识基于的事实是不是可靠，需要自己去论证和甄别。所以学者先要会疑，由疑到信，就是对知识消化吸收的过程。

---

① 练极：磨炼到最高层次。
② 参勘：琢磨领悟。参，探究、领悟；勘，校订、核对。

一苦一乐，一疑一信，收获的是幸福，学到的是真知。

四五

人只一念贪私[1]，便销[2]刚为柔，塞智为昏，变恩为惨[3]，染洁为污，坏了一生人品。故古人以不贪为宝，所以[4]度越[5]一世。

【翻译】

人只要有一点贪求私利的念头，便熔化刚强变为柔弱，堵塞智慧变为昏聩，放弃恩爱变为狠毒，污染纯洁变为秽浊，败坏了一生的人格品行。所以古人把不贪视为珍宝，以此超越世俗。

【赏析】

子罕是春秋时期宋国的大臣，主管建筑工程、车服器械制造。有一个宋国人得到一块玉，献给子罕。子罕不受，宋人以为子罕担心玉是赝品，对子罕说："我请雕琢玉器的人鉴定过，他们说这块玉是珍宝，您放心收下吧。"子罕说："我以不贪为宝，你以玉为宝。你把玉给我，相当于我们俩都失去了自己的宝贝。"吃人嘴软，拿人手短，一旦贪求私利，就成为别人手中的提线木偶，刚正、智慧、慈祥、纯洁，这些

---

① 贪私：贪求私利。
② 销：熔化。
③ 惨：凶恶、狠毒。
④ 所以：用来。
⑤ 度越：超越。这里指超凡脱俗。

品行则难以保持。

四六

耳目见闻为外贼，情欲意识为内贼。只是主人公惺惺不昧[①]，独坐中堂，贼便化为家人[②]矣。

【翻译】

耳朵听到的、眼睛看到的都是来自外部的盗贼，感情欲望、思想见解都是来自内部的盗贼。只要主人公清醒不糊涂，威严地端坐于中庭明堂，盗贼就转化为家中的仆人了。

【赏析】

外部世界时常诱惑人们沉溺于情色、奢靡、贪婪之中，从而让人自负、自卑、自我迷失。但是，同样是耳目见闻，同样是情欲意识，也可以增长见识，培养理性，从而使人练达世情，慧悟人生。耳目见闻、情欲意识本身并没有错，对错只在接收者的领悟。佛教认为三界唯心，万法唯识，一切取决于个人的修为。如果人能保持清醒的头脑，像主人独坐中堂一样行为端正、立场坚定，无论外贼、内贼都在控制之中，不但不能造成伤害，而且还会为我所用，增益人生。

---

① 惺惺不昧：清醒不糊涂。

② 家人：这里指仆人。

四七

图未就[1]之功，不如保已成之业；悔既往[2]之失，不如防将来之非。

【翻译】

图谋还没有开始的功业，不如保住已经完成的事业；懊悔以前的过失，不如防范将来可能发生的错误。

【赏析】

在人生的征程中，有两种心态必须警惕，一是好高骛远，一是萎靡不振。

好高骛远的人，捡着芝麻，想着西瓜，最后可能一无所得。一位挤奶姑娘头顶一桶牛奶走在田野上，她浮想联翩：把卖奶的钱买回鸡蛋，孵出小鸡再换回漂亮的裙子，打扮得漂漂亮亮吸引小伙子求婚，然后摇着头拒绝他们。想到这里，姑娘真的摇起头来，头顶的牛奶洒在地上，已得到的和未就的都随之消失。

萎靡不振的人，为曾经的失败悔恨不已，陷在以前的过失里不能自拔。他们无法放下思想包袱轻装前进，错过太阳时痛哭不已，接着也错过了星星和月亮。越王勾践被吴王夫差俘虏，尚且卧薪尝胆、自强不息，我们面对小小的过失，有什么理由不吸取教训，再整旗鼓呢？

---

① 就：这里是开始的意思。
② 既往：以往，已经过去的。

四八

风来疏竹，风过而竹不留声；雁度寒潭，雁去而潭不留影。故君子事来而心始现，事去而心随空。

【翻译】

风吹过稀疏的竹子，风停后竹子没有留下声音；大雁飞过清冷的水潭，雁飞走后水潭没有留下影子。所以君子在事情到来的时候心性才显现出来，事情过去后心性随之空虚平静。

【赏析】

有一种美德叫作遗忘。一段仇恨，一段情缘，一段心绪，一段历程，过去就过去了，不再想起，不再怀念，不再耿耿于是非因果。如果把所有的琐碎都记在心中，如杂货店一样拥挤不堪，就腾不出空间梳理心志、颐养德性。所以要记住该记住的，忘记该忘记的。

遗忘就是佛教所讲的舍弃、放下。舍弃杂芜是为了心中的禾苗更茁壮地生长，放下包袱是为了轻装上阵。君子于事，来则来矣，去则去矣，心绪依然宁静，心性依然空远。

四九

清[①]能有容，仁能善断[②]，明不伤[③]察，直不过矫[④]，是谓蜜饯不甜、海味不咸，才是懿德[⑤]。

【翻译】

清白但能包容，仁爱但善于决断，明智但不苛察，正直但不矫饰，这就是所说的蜜浸的果脯不甜腻，海中的产品不咸涩，才是美德。

【赏析】

儒家讲“过犹不及”，凡事适可而止，不宜偏激。

高洁清白是美德，但如果没有包容的雅量，在世上如何立足？仁爱固然可贵，如果因爱而优柔寡断，势必害人误己。明慧的人如果对任何事情都明察秋毫，就会失于苛察。心底无私的人，如果处处都要表现自己的刚强正直，则给人以矫饰、矫情之感。

优点、长处表现过分，又会成为缺点和短板。范仲淹几乎是道德完人，但吕夷简批评他“务名无实”，认为他的缺点是过于讲求道德，爱惜名声。后来变革失败，范仲淹终于意识到中庸适宜才是真正的美德。

---

① 清：指品行高洁清白。

② 善断：决策果断。

③ 不伤：不为苛察所损伤。指不苛察。

④ 矫：把弯曲的弄直、纠正。这里指矫饰。

⑤ 懿德：美德。懿，指德行美好。

五〇

贫家净扫地，贫女净梳头。景色虽不艳丽，气度自是风雅。士君子当穷愁寥落[①]，奈何辄自废弛[②]哉？

【翻译】

贫穷人家把地扫得干干净净，贫寒女子把头梳得干干净净。这样的景致虽然不够艳丽，但气象风度自有一番风韵雅致。读书人穷困愁苦、落寞失意时，怎么能自暴自弃、懈怠荒废呢？

【赏析】

判断一个人当下是否贫穷，看他的物质生活。判断一个人会不会长期贫穷，则看他的衣着打扮。如果他住所整洁，打扮整齐，这样的人终究不会甘居人下，总有一天会有所作为。他的环境及装扮，反映他的精神风貌。虽然物质贫乏，但精神充沛，他拒绝自暴自弃，没有萎靡不振。理想不灭，终会点燃成功的火炬，一步一步走出人生的低谷。

穷且益坚，不坠青云之志。面对穷愁寥落，精神不颓，意志不衰，这是读书人应该坚守的信念。毕竟，除了自己，没有人能将你击倒。

---

① 寥落：冷落，不得志。

② 废弛：荒废。

五一

闲中不放过，忙中有受用；静中不落空[①]，动中有受用；暗中不欺隐[②]，明中有受用。

【翻译】

闲暇的时间没有轻易放过，忙碌时会从中受益；平静的时光没有白白浪费，行动时会从中受益；背着人时没有欺骗隐瞒，在公开场合就会从中受益。

【赏析】

演员台下十年苦功，换来台上惊艳一刻。学子们读书破万卷，换来考场上下笔如有神。无论哪个行业，哪个领域，都要日积月累，才能在工作中、职场上纵横捭阖、得心应手。鲁迅说："我只是把别人喝咖啡的工夫用在了工作上罢了。"正是不放过任何闲暇的时光，"巨人"们才取得了旁人不可企及的卓越成就。独处中没人监督，最容易产生松懈。如果这个时候尚能严格要求自己，慎独慎行，到了公开场合，一定能保持良好的形象，让自己受益匪浅。

五二

念头起处，才觉向欲路上去，便挽[③]从理路上来。一念

---

① 落空：白白浪费。

② 欺隐：欺骗隐瞒。

③ 挽：拉、牵。

起便觉[1]，一觉便转[2]，此是转祸为福、起死回生的关头，切莫当面错过。

【翻译】

念头兴起的时候，才发觉要向物欲的道路走去，便把它向理性的道路上拉回来。一念起就警觉，一警觉就回头，这是转祸为福、起死回生的关键，千万不可当面错过。

【赏析】

人心好比角斗场，善良与邪恶，高尚与卑劣，天理与人欲，几乎无时无刻不在进行生死角斗。孰胜孰负，往往只在一念之间。善与恶的斗争如此惊心动魄，又只在毫厘之间，那么怎样才能避免由于一念之差而滑向深渊呢？

圣人的心得，是反省自己。

反省是对自己思想行为的深刻检查和思考，是纠正错误、修正人生方向的一种有效方法。君子日三省乎己身。一个念头刚刚兴起，就要判别其是不是合乎道德。一旦发现欲念上升，就要马上纠正，把思想拉到理性的轨道上。

真正的勇敢不是打败敌人，而是改变自己。

---

① 觉：警醒、警觉。

② 转：回头。

五三

天薄[1]我以福，吾厚吾德以迓[2]之；天劳我以形，吾逸吾心以补之；天扼[3]我以遇[4]，吾亨吾道以通之。天且奈我何哉！

【翻译】

上天让我的福分减损，我增加道德来面对它；上天让我的身体劳累，我让心态安逸来补益它；上天压制我的机会，我遵循正道打通它。上天能把我怎么样呢！

【赏析】

每个人的出身、际遇是上天的安排，个人很难改变。但这并不意味着必须听天由命。通过后天的努力，我们依然可以把命运掌握在自己手中。性格决定命运，所谓性格，就是道德、性情、趣味的总和。

出身贫寒，福分浅薄，便要修养道德。社会善待有道德的人。劳累繁忙，疲于生计，可以安逸性情，性情安闲，事务就忙而不乱，劳累自消。命运多舛，际遇坎坷，始终遵循心中的意念，不流俗，不妄纵，不放弃，最终一定能打通困境，实现人生的跨越。

---

① 薄：减损。
② 迓（yà）：迎接、面对。
③ 扼：压制、控制。
④ 遇：机会。

上天是人生的教练，一切安排都是为了让人变得更强大。

五四

真士[①]无心徼福[②]，天即就无心处牖其衷[③]；险人[④]着意[⑤]避祸，天即就着意中夺其魂。可见天之机权[⑥]最神，人之智巧何益？

【翻译】

有操守、有才能的人无意祈求福泽，上天就在无意中启发他的内心；邪恶的人刻意避免祸端，上天就刻意夺取他的魂魄。可见上天的权谋最为神奇，人的聪明机巧有什么用呢？

【赏析】

宗教相信善恶有报，人在做，天在看，上天冥冥之中总会给世间一个公平。善良的人通过修养道德获得启发，领悟世事，福运自来，其实是遵循天道得到的回报，是上天对真士的眷顾。邪恶的人最怕上天报应，所以刻意躲避祸端。然而他们没有信仰，失去了灵魂，肆无忌惮地践踏人间法则，最终一定为世所不容。

---

① 真士：有操守、有才能的人。
② 徼福：祈求福运。
③ 牖其衷：启发其内心。
④ 险人：指邪恶小人。
⑤ 着意：刻意。
⑥ 机权：权谋。

世道好轮回，苍天饶过谁？人不可心怀侥幸。违背天道，内心污秽，苍蝇蛆虫自会叮咬，即使祈福避祸也无济于事。遵循天道，心有花开，即使无意争芳，也会蝴蝶自来。

五五

声妓[①]晚景从良[②]，一世之烟花[③]无碍；贞妇白头失守[④]，半生之清苦俱非。语云“看人只看后半截”，真名言也。

【翻译】

妓女晚年嫁人从良，一生的风月生涯对她来说没有妨碍；贞洁妇女晚年失去节操，半辈子的清淡困苦全都失去意义。俗话说“看人只看后半截”，真是至理名言呀。

【赏析】

明清两代妇女地位极低。士大夫提倡妇女“从一而终”，表彰贞妇烈女，将丧偶妇女是否改嫁再婚上升到贞节操守的高度。即便妇女早年丧夫，含辛茹苦将子女抚养成人，如果再嫁，也被认为是“失节”“失守”，受到社会的鄙视。而青楼女子生活在烟花风尘之中，一旦脱籍从良，却被认为是改

① 声妓：以唱歌跳舞为业的女子。这里泛指妓女。
② 从良：妓女嫁人，终止卖身生活谓之从良。
③ 烟花：风月、情爱。这里指妓女的卖身生涯。
④ 失守：失去节操。这里指丧偶妇女再嫁或者偷情。

邪归正，受到肯定。两相比较，作者认为宁可放荡从良，也不可不保晚节。这种思想十分迂腐，但这段话的结语“看人只看后半截”却还有些道理。人到晚年，是总结一生、享受成果的时候，也是大彻大悟、知天认命的时候。这时候的道德修为、品行操守，最能反映人一生的心志。检验果树的收成在秋天，检视人生的收获在晚年。

五六

平民肯种德施惠，便是无位的卿相；仕夫[1]徒贪权市宠[2]，竟成有爵的乞人。

【翻译】

普通百姓愿意播种道德、布施恩惠，就像是没有爵位的公卿将相；达官贵人一味贪图权力、博取宠信，最终变成有爵位的乞丐。

【赏析】

有官爵的人，即便贵为公卿将相，如果一味贪图权力、邀功祈宠，与街市上的乞丐何异？没有官爵的人，如果行善积德、布施恩惠，自然会受到人们的尊敬，同正直的公卿将相一样具有崇高的荣誉和地位。孔子、孟子都长期在外游说，推行儒学，没有官爵只有门徒，然而谁能说他们地位低下呢？

---

① 仕夫：做官的人。
② 市宠：博取宠信。

五七

问[1]祖宗之德泽[2]，吾身所享者是，当念其积累之难；问子孙之福祉[3]，吾身所贻[4]者是，要思其倾覆[5]之易。

【翻译】

探寻祖宗的恩德，我们现在所享有的就是，应当感念祖宗艰难地积累；探究子孙的福祉，我们遗留的就是，要顾虑他们轻易地败光。

【赏析】

古人注重因果报应，因果报应又分现世报、来世报、他世报。唯心主义的因果报应故不可信，但从道德传承上讲，因果报应则符合事物成败兴亡的逻辑。上一辈德行高尚，势必身体力行，带动影响下一辈，所以其子孙大多具有良好的修养。如果上一辈多行不义，比如挥霍金钱、为富不仁，下一辈必然要遭受祸害，这也是一种因果报应。我们能够享有幸福生活，要感念祖先的厚德，同时激励自己勤俭节约，自强不息，为下一代创造更多财富，积累更多福德。兴业难，败家易，切不可贪婪奢靡，毁行败德，让后辈承受功德倾覆的后果。

---

① 问：追究。这里是寻找、探究的意思。
② 德泽：恩德、恩惠。
③ 福祉：利益、福利。
④ 贻（yí）：遗留。
⑤ 倾覆：竭尽，全部拿出。

五八

君子而诈善，无异小人之肆恶[1]；君子而改节[2]，不若小人之自新。

【翻译】

君子伪装善良，无异于小人肆意作恶；君子丧失节操，比不上小人改过自新。

【赏析】

表面上正直高尚，实际上阴险狡诈；表面上谦虚宽容，实际上狭隘自私；表面上冲淡平和，实际上追名逐利；表面上布施恩惠，实际上作恶多端，这样的人被称为“伪君子”。伪君子比真小人更可恶，真小人如敌人在眼前，明枪易躲，伪君子如内鬼在背后，暗箭难防。莫里哀笔下的答尔丢夫，金庸笔下的岳不群都是典型的伪君子。

还有一类人，或困于贫贱，或慑于威严，或惑于富贵，因而中途改节，由君子堕落成小人，成为道德上的“叛徒”，难免为人不齿。比如曹操生于汉末，本是忠义之士，曾只身刺杀董卓。但残酷的现实改变了他，让他信奉“宁我负人，毋人负我”的处世原则。他虽为一世枭雄，但道德瑕疵让他千百年来终背负骂名。

---

① 肆恶：肆意作恶。

② 改节：丧失节操。

五九

家人有过，不宜暴扬[①]，不宜轻弃。此事难言，借他事而隐讽[②]之；今日不悟，俟[③]来日正警[④]之。如春风之解冻、和气之消冰，才是家庭的型范。

【翻译】

家里人犯了错误，不应该暴露宣扬，不应该轻易放弃。这件事不方便说，借助其他话题含蓄地劝告他；今天不醒悟，等来日再真诚警示他。像春风化解冻土，暖流消除冰封，才是家庭应有的样子。

【赏析】

在人们既往印象中，封建家长都不苟言笑，严厉苛责，不近人情。其实，古代家庭教育也很讲究方法。晋代谢安的兄长谢据早亡，他小时候曾上房熏鼠，传为笑谈。谢据的儿子谢朗不明就里，也嘲笑熏鼠的人是傻子。谢安在闲谈中随意地说："有人编造熏鼠的事诽谤兄长，还说我也参与了这事。"既告诉了谢朗事实，又避免了让他难堪。每个家庭成员的形象都代表着整个家庭乃至整个家族的形象，因此要认真呵护，即使有错误有缺点也要内部解决，不可外扬。家庭

---

① 暴扬：暴露宣扬。

② 隐讽：用暗示性的语言加以劝告或指责。

③ 俟（sì）：等待。

④ 正警：真诚警示。

是维系亲情的纽带、维持和睦最为重要，因此批评教育要讲究策略技巧，不可生硬冷漠，否则既伤害感情，也妨碍团结。

六〇

遇艳艾[1]于密室，见遗金于旷郊[2]，甚于两块试金石；受眉睫[3]之横逆，闻萧墙[4]之谗诟[5]，即是他山攻玉砂。

【翻译】

在隐密的屋子里遇到美艳的女子，在空旷的原野上见到遗失的金子，比两块试金石还有效果；受到亲近的人强横侵犯，听到自己人的诋毁诟辱，如同得到加工美玉的砂石。

【赏析】

考验一个人的品行，莫过于与美女独处一室、在无人的地方拾到金子。春秋鲁国人柳下惠，有次夜里到一座破庙避雨，恰遇一年轻漂亮的女子也在避雨。半夜女子被冻醒，依偎在柳下惠怀里取暖。柳下惠怀抱女子，闭目塞听，纹丝不动，成为“坐怀不乱”的典范。清朝秀才何岳，夜里拾到二百两银子，第二天早上回到原地等待失主，原封不动交还银

---

① 艳艾：漂亮的女子。
② 旷郊：空旷的原野。
③ 眉睫：眉毛和眼睫毛。比喻近在眼前。此处指亲近的人。
④ 萧墙：古代宫室内作为屏障的矮墙。后用于指内部人士。
⑤ 谗诟：说坏话，诋毁诟辱。

子，留下了“拾金不昧”的美名。

六一

此心常看得圆满，天下自无缺陷之世界；此心常放得宽平[①]，天下自无险侧[②]之人情。

【翻译】

这颗心经常往完善无缺处着想，天下自然是没有缺陷的世界；这颗心经常摆放得宽仁公平，天下自然没有险恶不正的人情。

【赏析】

以不同的心情，看同样的风景，会有不同的色调。

同样是秋天，在苏轼的笔下各有风姿。初入仕途，他启程出任杭州通判，“枫叶芦花秋兴长”，虽去国怀乡，但情趣悠长。后来知徐州，理想未灭，“明月如霜，好风如水，清景无限”，心中的寂寞清丽脱俗。因乌台诗案被贬黄州后，“时见幽人独往来，缥缈孤鸿影”，寂寞碎了一地，点点是血。出任杭州知府是他一生中难得的逍遥时光，“一年好景君须记，最是橙黄橘绿时”，时光正好，友情丰硕。

相由心生，眼前景即心中景。心中有爱，处处都能看到花开；心怀仁厚，知足常乐，再坎坷的人生也终将归于圆满。

---

① 宽平：宽仁公平。
② 险侧：险恶邪僻。

六二

淡泊之士，必为浓艳者所疑；检饬[①]之人，多为放肆[②]者所忌。君子处此，固不可少变其操履[③]，亦不可太露其锋芒。

【翻译】

性情淡泊的人，一定被喜爱奢华的人猜疑；行为检点的人，大多被轻狂放纵的人忌恨。君子在这种情况下，固然不能对操守有任何改变，也不能过于显露锋芒。

【赏析】

道不同不相为谋，世界观对立的人很难和睦相处。喜爱奢华的人，在他们眼里，淡泊名利必定是矫揉造作，别有所图。举止轻狂的人难以取得人们信任，所以忌恨检饬者的好口碑。在物欲横流的社会，好品行不一定是护身符，反而有可能成为邪恶势力的出气筒。面对忌恨猜疑，以及可能接踵而至的明枪暗箭，正人君子既要坚持原则，又要讲究策略，保护自己。最好的方法就是收敛锋芒，低调隐忍，疏远超脱。大隐隐于市，内心不与世俗苟同，行为不与世事隔绝，议论不与流俗争锋，做一个操守坚定而性情随和的人。

---

① 检饬（chì）：检点，自我约束。
② 放肆：指言行轻率，不加拘束。
③ 操履：操守。

六三

居逆境中，周身皆针砭[1]药石[2]，砥节砺行[3]而不觉；处顺境内，满前尽兵刃戈矛，销膏靡骨[4]而不知。

【翻译】

处于逆境之中，周围都是针砭药石，在不知不觉中磨炼了德行操守；处于顺境之中，眼前都是杀人伤命的武器，在不知不觉中毁损掉躯体和灵魂。

【赏析】

沙丁鱼是一种美味小鱼，它们生性喜欢安静，对可能到来的危险浑然不觉。长途运输中，沙丁鱼大多因为缺氧窒息而死。渔民为了保证让消费者买到活的沙丁鱼，会在装满沙丁鱼的鱼槽里放进一条鲶鱼。鲶鱼以小鱼为食，它的加入让沙丁鱼骤然紧张，左冲右突，四处逃避，搅动槽水，鱼槽缺氧的问题迎刃而解。这就是著名的“鲶鱼效应”。

沙丁鱼在鲶鱼的威胁下得以存活，鲶鱼对于沙丁鱼来说，看似天敌，其实增强了沙丁鱼抵御风险的能力。过去那种安逸的环境，就好像看不见的兵刃戈矛，让沙丁鱼在不知不觉中走向死亡。

---

① 针砭（biān）：比喻发现或指出错误，以求改正。针和砭都是医疗用具。
② 药石：药物和砭石。后比喻规劝别人改过向善。
③ 砥节砺行：磨炼节操与德行。
④ 销膏靡（mí）骨：消耗掉油脂，粉碎掉筋骨。此处指毁损掉躯体和灵魂。

六四

生长富贵丛中者，嗜欲[1]如猛火，权势似烈焰[2]。若不带些清冷气味[3]，其火焰不至焚人，必将自焚。

【翻译】

生长在富贵环境中的人，嗜好和欲望像熊熊大火，权柄和势力像炽烈火焰。如果不带一点清凉冷静的意趣，这样的火焰虽不至于焚烧别人，但一定会焚烧自己。

【赏析】

富贵中人，或者有钱，或者有权，放纵惯了，欲望越来越大，如点燃的火焰，如果得不到及时控制，会愈燃愈旺，直至将自己焚毁。《红楼梦》里的贾瑞，见到凤姐后情欲炽盛，欲火焚身，最终丢了性命。贾雨村本是个有才干的读书人，他依附贾府，官越做越大，品行却越来越差，因此堕入罪恶的深渊，变成大奸大恶之人，落得个“因嫌纱帽小，致使锁枷杠”的可悲下场。

万物相生相克，灭火者，水也。古往今来视金钱如粪土、视权势如浮云的大有人在，他们有一颗淡泊宁静的心，如清凉之水，让自己时刻保持头脑冷静。

---

① 嗜（shì）欲：嗜好和欲望。

② 烈焰：炽烈的火焰。

③ 气味：比喻意趣或情调。

六五

人心一真[①]，便霜可飞[②]，城可陨[③]，金石可贯[④]。若伪妄[⑤]之人，形骸徒具，真宰已亡，对人则面目可憎，独居则形影自愧。

【翻译】

人的内心一旦真诚，夏天可以飞霜，城墙可以倒塌，金石可以穿透。如果是虚伪之人，空自有一副躯壳，灵魂已经死亡，在人前面目可憎令人讨厌，独处时则形影自愧。

【赏析】

人的真诚可以感天动地。邹衍是战国时齐人，效忠燕王。燕惠王不信任他，将他打入大牢。邹衍呼唤苍天，上天竟为他五月飞霜。春秋齐人杞梁死后，妻子十分悲伤，抱着丈夫的尸体在城墙下面痛哭不已，十天之后，城墙为之崩塌。这些虽然只是传说，但表现了真诚的可贵，以及人们对这一品质的颂扬。反之，那些虚情假意、心口不一之人，躯体向左，灵魂向右，相互背离，难以归位。这样的人面目可憎，内心可怜，因为灵魂已逝，活在世间也如同行尸走肉。

---

① 真：真诚、真实。

② 霜可飞：夏天飞霜。比喻至诚感动上天。

③ 陨：毁坏。

④ 贯：穿透。

⑤ 伪妄：虚假，不真实。

六六

文章做到极处[1]，无有他奇，只是恰好；人品做到极处，无有他异，只是本然[2]。

【翻译】

文章写到最高境界，没有其他奇特的地方，只是表述恰到好处；品行达到最高境界，没有其他出众的地方，只是回归本来面目。

【赏析】

什么样的文章是好文章？华丽的辞藻以及奇绝的构思都是文章的外在元素，不是核心。写文章要回归写作的原始目的，那就是文以载道，恰到好处地表达自己的所思所想，让读者与作者产生共鸣。

什么样的人品是好人品？勇敢、智慧、善良、宽容……但这些优秀品质都需要有一个前提，那就是发自内心，出于本性。高尚与卑劣只有一步之遥，任何机巧刻意都会使之沦为虚伪和功利。

作文与做人有共通之处，“清水出芙蓉，天然去雕饰”，来自天性，回归本源，不故弄玄虚，不哗众取宠，才是极致妙境。

---

① 极处：极点，最高境界。

② 本然：本来面目。

六七

以幻迹[①]言，无论功名富贵，即肢体亦属委形[②]；以真境言，无论父母兄弟，即万物皆吾一体。人能看得破，认得真，才可以任天下之负担，亦可脱世间之缰锁[③]。

【翻译】

以虚幻的景象而言，别说功名富贵，即便是人的肢体也是上天赋予的；以真实的境界来说，别说父母兄弟，即便是世间万物都与我一体。人能够看得破、认得清，才可以担负天下的重担，也可以摆脱世间的束缚。

【赏析】

道家认为人体是凝聚刚柔和顺之气而成，气尽则散。从这个角度讲，人的形体不属于自己，何况功名富贵？这些虚幻的事物只是上天暂时寄在人身上而已。道家又认为"天地与我并生，而万物与我为一"。物我一体，自然不可随意舍弃，不可轻易放下。究竟哪些是水中月、镜中花，需要淡泊超脱；哪些真实可靠，需要珍惜呵护，值得人们严肃思考。

---

① 幻迹：虚幻的世间万象。

② 委形：自然所赋予的形体。

③ 缰锁：缰绳和锁链。比喻束缚、控制。

六八

爽口[1]之味，皆烂肠腐骨之药，五分[2]便无殃[3]；快心[4]之事，悉败身丧德之媒，五分便无悔。

【翻译】

清爽可口的食物，都是让肠胃溃烂、筋骨腐蚀的毒药，吃到五分饱就停止不会遭受祸害；舒心畅快的事情，都是让身体败坏、道德丧失的媒介，享受五分就停止不会后悔。

【赏析】

有一类病，叫“富贵病”，就是吃可口的食物过多，营养过剩造成的，如糖尿病、高血压、高血脂等。称心如意的事情过多，也未必是好事，“生于忧患，死于安乐”就是最好的警诫。凡事忌满，月满则亏，水满则溢，人满则骄。所以《易》曰：“亢龙有悔。”龙升腾到最高处，孤高无辅，必遭灾祸。食不过饱是养生之道，情不过欢是养性之道，富不过奢是养德之道。为人不要过于贪心，做事不要求全，对现实保持一种满足，对未来保有一份好奇，方为人生的至上境界。

---

① 爽口：清爽可口。

② 五分：十分之五，犹言一半。

③ 殃：祸害。

④ 快心：感到畅快或满足。

六九

士君子持身不可轻[①]，轻则物能扰[②]我，而无悠闲镇定之趣；用意[③]不可重[④]，重则我为物泥[⑤]，而无潇洒活泼之机。

【翻译】

士君子为人处世不可轻浮，轻浮则受外物困扰，从而没有悠闲镇定的趣味；心思不可太持重，持重则被外物拘泥，从而丧失潇洒活泼的生机。

【赏析】

大多数人为人处世往往容易走向两个极端，一是轻浮，草率急躁；一是持重，顾虑重重。

行事轻浮，用心不能专一，为外界事物所干扰，事情会越办越糟。旁人也会欺我不能主持大局、稳定局势，不仅不会帮忙，反而故意设置障碍，最终势必怨声载道。

行事持重的人，固然能够稳定局势，但思虑太重，多谋少断，不能放开手脚，往往循规蹈矩，难以成就大事。这样的行事风格，古板拘泥，身累心累，了无情趣。

太轻则浮，太重则滞，顺其自然，才能恰到好处。

---

① 轻：轻浮。
② 扰：困扰。
③ 用意：心思。
④ 重：这里指思虑太多，不能放开手脚。
⑤ 泥：固执、拘泥。

七〇

天地有万古[1]，此身不再得；人生只百年，此日最易过。幸生其间者，不可不知有生之乐，亦不可不怀虚生[2]之忧。

【翻译】

天地万世长存，而人的生命没有第二次；人的一生只有百年，眼前这一天最容易过去。有幸生长在天地之间，不可以不知道生命的快乐，也不可以不怀有虚度此生的忧虑。

【赏析】

感慨人生短暂、时光易逝，是中国古代文学的一大主题。《诗经》中有“今我不乐，日月其除”的诗句；《离骚》中有“惟草木之零落兮，恐美人之迟暮”的歌咏。孔子则在河边感叹：“逝者如斯夫，不舍昼夜。”时光易逝，所以要珍惜时光，古人一是希望勤奋学习，“少壮不努力，老大徒伤悲”。二是及时行乐，“人生得意须尽欢，莫使金樽空对月”。三是建功立业，“老骥伏枥，志在千里；烈士暮年，壮心不已”。最让人痛心疾首的，莫过于虚掷光阴。“明日复明日，明日何其多。日日待明日，万事成蹉跎。”人生而有幸，如果虚度，则是有幸中的最大不幸。

---

① 万古：万代、万世。

② 虚生：虚度一生。

七一

市私恩[1]不如扶公议[2]，结新知不如敦[3]旧好，立荣名[4]不如种阴德[5]，尚奇节[6]不如谨庸行[7]。

【翻译】

为私利收买人心不如争取公共舆论，结交新朋友不如宽厚对待老朋友，树立美名不如暗中播种道德，推崇非凡的节操不如谨慎对待日常行为。

【赏析】

晋武帝临终前，外戚杨骏矫诏当上辅政大臣。他知道自己没有名望，就大开封赏，以取悦群臣。后来他为政严苛，刚愎自用。过去的好友劝他做事要公正诚实、谦恭和顺，不要私植党羽、猜忌贤臣。杨骏不听，果然在权力争斗中身败被杀。

沽名钓誉、哗众取宠，是投机者惯用的手段。这些手段或许能见效于一时，但终会被正直高尚的人唾弃，沦为道德的乞儿和政治上的小丑。历史上成大器者，都是从谨言慎行

---

① 市私恩：为了私利用恩惠收买人心。
② 扶公议：争取社会舆论。
③ 敦：宽厚。
④ 荣名：美名。
⑤ 阴德：不事张扬的德行。
⑥ 奇节：非凡的节操。
⑦ 庸行：平常的行为。

开始，从平凡小事做起，以诚信交换真心，以公义扶持舆论，才能一呼百应，众望所归。

七二

公平正论[1]不可犯手[2]，一犯手则贻羞[3]万世；权门私窦[4]不可着脚，一着脚则玷污终身。

【翻译】

公平正义的言论不能触犯，一触犯就使万代子孙蒙受羞辱；权贵人家的私门不可涉足，一涉足就使名誉终身受损。

【赏析】

古代文人大都有建功立业之心，李白“天生我材必有用”，杜甫“致君尧舜上”，都表达了封侯拜相的愿望。唐朝流行干谒，文人拿自己的诗词拜访权贵，请求其向朝廷引荐。孟浩然“欲济无舟楫，端居耻圣明”描写的就是干谒时的心情。做官几乎是文人经世济民的唯一途径，渴求功名本无可厚非，但如果以不正当手段向上爬，就有失光明磊落。今日涉足权门，拉关系托人情，他日必然要投桃报李，维护权贵利益，如此，国家与民众的利益将置于何处？

---

① 正论：正确合理的言论。
② 犯手：触手、触犯。
③ 贻羞：使蒙受羞辱。
④ 私窦：私门。

七三

处父兄骨肉之变，宜从容不宜激烈；遇朋友交游[①]之失，宜剀切[②]不宜优游[③]。

【翻译】

对待父亲兄弟等骨肉至亲的意外变故，要保持从容，不要情绪失控；遇到朋友知交有过失错误，应该诚恳规谏，不应该放任不管。

【赏析】

父母兄弟是骨肉至亲，如果遭遇变故，最令人痛彻心扉，容易丧失理智。这时候，尤其要提醒自己保持从容镇定，因为许多善后事宜需要处理。曹操去世时，局势极不稳定。世子曹丕痛哭不已，不能理事。太子中庶子司马孚及时劝谏曹丕以宗庙和百姓为重，不可效匹夫之孝。曹丕听从劝告，收起悲恸，才得以安定人心，控制住局势。

朋友与父母兄弟不同，关系稍疏。疏则易宽，对朋友的过失视若无睹，放任自流，这是对友情不负责任的表现。三国时，吴国大司马吕岱推荐徐原做侍御史。吕岱偶有过失，徐原直言进谏。有人以此离间二人，吕岱却说："这正是我看重徐原的原因。"古代所谓诤友，就是敢于给对方"泼冷水"的朋友。

---

① 交游：结交朋友。
② 剀切：诚恳、切实。
③ 优游：放任不管。

七四

小处不渗漏[1]，暗处不欺隐，末路不怠荒[2]，才是真正英雄。

【翻译】

在细枝末节的地方不出现漏洞，在没人关注的地方不欺骗隐瞒，在穷途末路的时候不懈怠颓废，这才是真正的英雄。

【赏析】

赤壁之战中，曹军遭受东吴火攻，曹操遭遇出道以来最大的失败。曹操下令部队烧掉所有船只，以免给东吴留下军资。逃亡路上，仍豁达乐观，镇定从容，指挥如常。在潦倒窘迫中不懈怠，在穷途末路中不颓废，才成就了他一代枭雄的伟大功业。

七五

惊奇喜异[3]者，无远大之识；苦节[4]独行者，非恒久之操。

---

① 渗漏：原指水渗透滴漏。这里泛指出现漏洞。

② 怠荒：懒惰颓丧。

③ 惊奇喜异：为奇特的事物而惊讶，为怪异的事物而欢喜。

④ 苦节：此处指刻意俭约。

【翻译】

惊讶于奇特、喜欢怪异的人，没有远大的见识；刻意俭约、特立独行的人，无法保持永恒持久的操守。

【赏析】

道德修养的最高境界是顺其自然，而不是刻意为之。

惊奇喜异者，往往浅尝辄止、见异思迁，这些都是成功道路上的大敌。传说弈秋是围棋高手，他教两位弟子下棋，其中一个专心致志，另一个虽然在听，可心里总想着外面飞过的天鹅，想要拿弓箭打猎。结果认真听讲者学有所成，浮想联翩者毫无进步。

刻意追求与众不同的行为，以显示自己的操守高洁，同样违背顺其自然的准则。这种人愤世嫉俗、心理偏执，与惊奇喜异并无本质上的差异。苦节独行难以长久，与其隔绝世事，不如在世俗中做到出淤泥而不染。

七六

毋偏信而为奸所欺，毋自任[①]而为气所使，毋以己之长而形[②]人之短，毋因己之拙而忌人之能。

【翻译】

不要偏听偏信被奸人欺骗，不要刚愎自用被意气驱使，不要

① 自任：刚愎自用。
② 形：对照、比较。

用自己的长处对比别人的缺陷，不要因为自己的笨拙去忌恨别人的才能。

【赏析】

偏听偏信、刚愎自用、嫉贤妒能，都是人性的缺点，如果不加以克服，一定会为此付出代价。春秋时，吴王夫差打败越王勾践后，伍子胥请求趁机灭亡越国，而太宰伯嚭却蛊惑夫差同意越国的求和，夫差偏听偏信，放过勾践，后来反被越王灭国。三国时，关羽被吴国所杀，刘备为意气驱使，放弃“连吴抗魏”的既定方针，倾全国之兵进攻吴国，导致夷陵之败，蜀汉从此一蹶不振。历史上不乏这样的事例，教训不可谓不深刻。后人还在重蹈前人覆辙，他们怀着侥幸的心理，为那些破败的瓦砾添上新的尘土。

七七

人之短处，要曲①为弥缝②，如暴而扬之，是以短攻③短；人有顽④的，要善为化诲⑤，如忿而嫉之，是以顽济顽。

【翻译】

对别人的短处，要委婉地进行遮掩补救，如果有意暴露宣

---

① 曲：这里是委婉的意思。
② 弥缝：设法遮掩或补救缺点、错误。
③ 攻：本指批驳、评判，引申为治疗。
④ 顽：愚蠢无知。
⑤ 化诲：感化教诲。

扬，就是用自己的短处去医治别人的短处；别人愚钝，要善于感化教诲，如果气愤并且憎恨他，那就是以自己的愚钝去帮助别人的愚钝了。

【赏析】

高素质的人，补救别人的缺陷，帮助对方改正过错。低素质的人，把快乐建立在别人的缺陷之上，毫不保留地表达藐视。纠缠别人缺点的人，极力张扬自己的长处，却恰恰暴露了自己的狭隘和愚蠢！大雁从来不会同鸭子比赛飞翔，狮子也不会同疯狗争斗，只有同样量级的事物才可相提并论。同什么样的人进行比较，说明你就是什么样的人。

七八

遇沉沉①不语之士，且莫输心②；见悻悻③自好之人，应须防口。

【翻译】

遇到心事沉重、沉默寡言的人，不可推心置腹；见到刚愎傲慢、自以为是的人，必须言语谨慎。

【赏析】

沉默寡言的人，大多城府很深，心机难测。这样的人不

① 沉沉：形容心事沉重。
② 输心：表示真心，推心置腹。
③ 悻悻：刚愎傲慢的样子。

可贸然与之深交，避免授人口实，落入陷阱。刚愎自用的人，往往自以为是，一言不合就翻脸，对这样的人最好敬而远之，防止祸从口出。

七九

霁日[①]青天，倏[②]变为迅雷震电；疾风怒雨，倏转为朗月晴空。气机[③]何尝一毫凝滞？太虚[④]何尝一毫障蔽？人之心体亦当如是。

【翻译】

晴天白日，忽然转变为电闪雷鸣；疾风暴雨，转眼变为朗月晴空。大自然的运行变化何曾有一丝一毫的凝固停滞？天空何尝有一丝一毫的阻塞隐藏？人的心体也应该是这样。

【赏析】

人的思想应该与时俱进，若僵化保守，一定会被时代淘汰。秦朝被推翻后，项羽主政天下，但他思想守旧，一心想要恢复战国时期的分封局面，因此废除秦朝的皇帝制度和郡县制度，造成新的诸侯割据，项羽本人也在新一轮军阀混战中兵败身亡。北宋后期，皇帝在“变”与“不变”中难以抉

① 霁日：晴日。
② 倏（shū）：忽然。
③ 气机：指天地运行变化的自然机能。
④ 太虚：指天空。

择，摇摆不定，造成朝政衰败。古人讲究“天人合一”，用上天的运行法则比喻人事。人的思想应当如天气变化一样顺应时事，不可以逆潮流而动，做历史前进道路上的绊脚石。

八〇

胜私制欲[①]之功，有曰识不早力不易者，有曰识得破忍不过者。盖识是一颗照魔的明珠，力是一把斩魔的慧剑[②]，两不可少也。

【翻译】

对于战胜私心、控制欲望的成效，有说发现不及时、改变不容易的，有说认识清醒但忍受不了诱惑的。所以识见是一颗照亮邪魔的明珠，定力是一把斩杀邪魔的利剑，二者都不能少呀。

【赏析】

战胜私心、控制欲望有两个要素，即“识”和“力”。“识”就是保持清醒的头脑，认识到私心和欲望的危害；“力”就是战胜私心和欲望的意志和定力。“识”不到，“力”则无处可施；“力”不到，“识”则沦为空谈。如果说私心和欲望是魔鬼，先用“识”照出魔鬼的模样，再用“力”斩断魔鬼的爪牙，在与私心、欲望的搏斗中就可大获全胜。以《西游记》为例，前期的孙悟空，有“力”无“识”，所以屡

① 胜私制欲：战胜私心，控制欲望。

② 慧剑：佛教认为智慧如利剑，能斩断一切烦恼。

屡犯戒。而猪八戒有“识”无“力”，所以关键时刻管不住自己的生理冲动。经历过九九八十一难之后，他们终于“识”“力”兼备，取得真经，修成正果。

八一

横逆困穷，是煅炼豪杰的一副炉锤[①]。能受其煅炼者，则身心交益[②]；不受其煅炼者，则身心交损。

【翻译】

横祸厄运，困苦贫穷，是锻炼豪杰的一副熔炉铁锤。能够经受这种锻炼，则身体和心灵共同得到好处；没有经受这种锻炼，则身体和心灵共同受到损伤。

【赏析】

深山中的老虎是百兽之王，几乎可以捕杀一切动物。动物园里养大的老虎，虽然有着凶猛的外表，却早已丧失了野外生存能力。把它们放归山林，只会眼睁睁看着豕鹿奔跑而活活饿死。是深山里残酷的丛林法则培养了老虎的本领，而动物园无忧无虑的生活消磨了它的意志。

社会是人生存的丛林，横逆穷困锤炼人的精神，使我们在社会上能够面对各种复杂局面，应对各种残酷挑战，成为虎虎生威的英雄豪杰。顺境中成长的人，在锦衣玉食中滋生

① 炉锤：锻造金属时敲击用的锤子。
② 交益：共同受益。

懒惰、贪婪、怯懦，丧失了成长的勇气和前行的毅力。

不怕跌倒才能学会走路，而每一次跌倒都是为了走得更远。

八二

害人之心不可有，防人之心不可无，此戒疏于虑[1]者。宁受人之欺，毋逆人之诈[2]，此警伤于察[3]者。二语并存，精明浑厚矣。

【翻译】

伤害别人的心思不能有，防范别人的心思不可无，这是告诫疏忽思考的人。宁可忍受别人的欺骗，不要妄自猜度他人有恶意，这是警示过于苛察的人。两句话对照着看，可使人既做到精明又保持厚道。

【赏析】

伤害别人是罪恶，防范别人是正义。人性复杂，有好必有坏，有正必有邪，有善必有恶。更多的人，可能是正邪善恶的交织体。逢人且说三分话，未可全抛一片心。要设定人际交往的距离和底线，在柔弱的内心中铸造一层自我保护的铠甲。

---

① 疏于虑：疏忽大意，不善于思考。
② 逆人之诈：妄自猜度他人欺骗自己。
③ 伤于察：对事物分辨过于认真。

盲目信人不可取，过于疑虑则寸步难行。人至察则无友，害怕受骗就拒人于千里之外，自己只能做孤家寡人。就像乞丐中有骗子，但不能因此而终止施舍。受人之欺不过损失一些财物，逆人之诈损害的则是自己的气度。

既要防人又不可逆人，如何把握，则需要根据具体情况去权衡。精明者多一些豁达，浑厚者多一些思考，二者相得益彰。

八三

毋因群疑[①]而阻独见，毋任[②]己意而废人言，毋私小惠[③]而伤大体[④]，毋借公论以快[⑤]私情。

【翻译】

不要因为众人质疑而放弃自己的独特见解，不要固执自己的意见而否定别人的言论，不要贪占小利而伤害大局，不要借助公众舆论宣泄私情。

【赏析】

人不可随波逐流，发表意见要遵从自己的内心，而不是讨好众人。曹操挥师东进，东吴一片投降之声，唯有周瑜、

---

① 群疑：大多数人质疑。

② 任：此处指固执。

③ 私小惠：贪占微小的利益。私，占有。

④ 大体：重要的义理，有关大局的道理。

⑤ 快：愉快、高兴。这里有满足、宣泄的意思。

鲁肃力排众议，才保住了东吴半壁江山。

从谏如流，兼听则明。诸葛亮五次伐魏，大将魏延都有独到的见解，却没有引起诸葛亮重视。后人仔细梳理魏延的建议，发现其中有许多可取之处。

私利能蒙蔽慧眼，不可因私利而失大局。吕蒙偷袭荆州，关羽败走麦城，刘封、孟达拥兵上庸却见死不救，使蜀汉遭受了重大损失。

八四

一翳①在眼，空花②乱起，纤尘③着体，杂念纷飞。了④翳无花，销⑤尘绝⑥念。

【翻译】

一旦眼中有白翳，只见空中的“花瓣”杂乱地飞舞，微尘附着在体内，杂芜的念头纷纷扬扬。消除了白翳，眼前没有了“飞花”，去除了微尘，思想也就干净纯正了。

【赏析】

眼中生长白翳，黑色的悬浮物随眼球转动在空中杂乱飞

---

① 翳（yì）：又称“白翳”，眼球上生的障蔽视线的白斑。

② 花：这里指眼中飘浮的黑色悬浮物，俗称“飞蚊”。

③ 纤尘：微尘。比喻微细污垢。

④ 了：消除。

⑤ 销：去除、消除。

⑥ 绝：去除污垢使变得干净。

舞，眼前再也不是纯净的世界。这里的“一翳在眼”是比喻，暗指心灵一旦蒙上污垢，即使是纤尘，也会滋生各种杂芜不洁的念头。有些人看到别人富有自己贫穷，心理失衡，就会生起通过不正当手段获取财富的念头；有些人看到邪恶的人趾高气扬，心生欣慕之情，就会靠近邪恶，远离善良。这些都是因为内心长出“阴翳”，头脑中滋生出“空花”“杂念”。眼睛有病，要及时医治，去除白翳，还自己一个干净的视界。心灵有病，更要及时医治，去除杂念，还自己一个纯净的思想。

八五

父慈子孝，兄友弟恭，纵做到极处，俱是合当[1]如是[2]，着不得一毫感激的念头。如施者任德[3]，受者怀恩，便是路人，便成市道[4]矣。

【翻译】

父亲慈爱，子女孝敬，兄长友善，弟弟恭顺，即使做到极致，都是应当如此，不能附加一点感激的念头。若像施加恩惠的人认为自己对别人有德，接受恩惠的人心怀感恩，这样亲人就变成陌生人，亲情就成为交易了。

---

① 合当：应当、应该。
② 如是：如此、这样。
③ 任德：指认为自己是在施加道德。
④ 市道：此处指交易。

【赏析】

父母关怀子女，子女孝敬父母，兄长友善弟弟，弟弟恭敬兄长，是人伦常情，应毫无保留做到，没有丝毫讨价还价的余地。一个人若常为人伦常情感动，说明道德修养多有欠缺。公众舆论如果大力宣扬这方面的事迹，说明整个社会道德素养严重缺失。愈是感情深厚，愈是没有隔阂，彼此不会有客套。愈是陌生，愈是淡漠，才需要感恩戴德和念念不忘。所谓“大恩不言谢”，不谢的恩德，承载着最深厚的感情。

八六

炎凉之态，富贵更甚于贫贱；妒忌之心，骨肉尤狠于外人。此处若不当①以冷肠②，御③以平气④，鲜⑤不日坐烦恼障⑥中矣。

【翻译】

炎凉的世态，富贵之人比贫贱之人更严重；嫉妒的心理，亲戚骨肉比外界陌生人更强烈。这里如果不用冷静的心态阻挡，不用平和的情绪控制，很少有人不是每日生活在烦恼的孽障之中。

---

① 当：阻挡。
② 冷肠：冷静的心态。
③ 御：抵御、控制。
④ 平气：平和之气。
⑤ 鲜：少。
⑥ 烦恼障：因贪嗔痴等扰乱情绪而产生烦恼，妨碍解脱。

【赏析】

愈有钱，便愈是一毫不肯放松，这几乎是富贵人的通病。富贵的主要标志是金钱和权力，所以他们对此看得极重，只知索取，吝啬奉献，便生出趋炎附势的心理。

亲近的人和我们生长在相近的环境中，拥有同一起跑线。大家同场竞争，中途有人领先，有人掉队，自然会造成心理失衡。外人与自己生活空间不同，彼此条件不同，资源优势不同，攀比心也就没有那么强烈。

富贵者炎凉，亲近者妒忌，要克服这些心理，只有加强修养，培养自己的平和之气，少一些私欲，多一些豁达。

八七

德者才之主，才者德之奴。有才无德，如家无主而奴用事[①]矣，几何不魍魉[②]猖狂[③]？

【翻译】

道德是才能的主人，才能是道德的奴仆。有才能没有道德，就像家中没有主人而奴才当家主事，有几个不是如鬼怪般放纵猖狂？

---

① 用事：当权、主事。

② 魍魉（wǎng liǎng）：古代传说中的山川精怪。多用来比喻坏人。

③ 猖狂：放纵猖狂。

【赏析】

领导在选用干部时，常常要在“德”与“才”之间做出艰难选择。周公力主“惟听用德”，孔子强调“为政以德”，宋代司马光对德才关系做过重要论述，即“才者，德之资也；德者，才之帅也”。德是才的统帅，才是德的补充。战国各诸侯国用人选士实际上只重视才能，商鞅、苏秦等都是公认的有才无德之辈。到了汉末，曹操更是高举“唯才是举”的旗帜。探究古代用人之道，大体治世重德，乱世重才。治世里若用无德有才之人，必然导致败俗乱国。当然，这是用人之道，对于个人来说，加强修养，锤炼品行无疑是立身之本，否则就会迷失方向，步入歧途，身败名裂。

八八

士君子贫不能济物者，遇人痴迷处，出一言提醒之，遇人急难[1]处，出一言解救之，亦是无量功德[2]矣。

【翻译】

士君子虽因贫穷不能用物质帮助别人，但遇到别人执迷不悟的地方，说一句话提醒他，遇到别人危急困难的时候，说一句话解救他，也是无法估量的功德。

---

① 急难：危急困难。

② 无量功德：指功劳恩德非常大，无法估量。

【赏析】

助人为乐，不限于物质。很多时候，一条建议，一句提醒，比金钱更有意义。

穷书生出身贫寒，以钱财行善济民，也许心有余而力不足。但书生的优势在于有知识、有见识。扬长避短，用自己的才智助人，更能解难救困。比如弱者受人欺凌，帮助他打官司；比如对别人错误的决策，大胆进行规劝；比如某人怨愤郁结于胸，开导他豁然大度。这些帮助虽小，却恰好是别人需要的。

八九

处己[①]者触事[②]皆成药石，尤人[③]者动念即是戈矛，一以辟[④]众善之路，一以浚[⑤]诸恶之源，相去霄壤[⑥]矣。

【翻译】

正确对待自己的人，遇到事情总能总结经验教训，使自己进步；习惯责备别人的人，一动念就会对别人造成伤害。一个开辟众多行善的道路，一个疏通许多邪恶的源头，二者真是天地

① 处己：正确对待自己。
② 触事：遇到事情。
③ 尤人：抱怨、责怪别人，把过错归咎于别人。
④ 辟：开辟。
⑤ 浚：疏通。
⑥ 霄壤：天和地。形容相距极远。

之别。

【赏析】

一件事情没有办好，有些人会进行反思：是决策失误还是措施不力？是安排不周还是执行不到位？是准备不足还是临场反应不够机敏？通过反思找出自己的缺陷和不足，有针对性地进行训练和修正，增强能力，提高水平。还有一些人，第一时间推脱责任，埋怨同伴，把一切过错归咎于他人。他们把自己撇得干干净净，貌似很聪明，实际上掩盖了自己的缺点，还伤害了别人的感情，一举两亏。反思自己的人会尽善尽美，越来越优秀，责备别人的人会每况愈下，越来越平庸，曾经比肩的两个人就是这样拉开了距离。

九〇

鱼网之设，鸿[①]则罹[②]其中；螳螂之贪，雀又乘其后。机[③]里藏机，变外生变，智巧何足恃[④]哉！

【翻译】

设置渔网捕鱼，蛤蟆却落入其中；螳螂贪婪，黄雀又在后面等待机会。玄机里藏着玄机，变化外再生变化，聪明机巧怎么能

① 鸿：这里指蛤蟆。

② 罹（lí）：遭逢、遭遇。此处指落网。

③ 机：指机巧、玄机。

④ 恃（shì）：凭仗、依靠。

依靠呢！

【赏析】

《诗经·邶风·新台》有诗句："鱼网之设，鸿则离之。"以癞蛤蟆喻人，女子本想嫁个年轻英俊的如意郎君，却不想被丑陋的糟老头子霸占。追求美好的爱情得非所愿，内心充满忧伤。

西汉刘向的《说苑·正谏》里记载了一则寓言：蝉在树上悲鸣饮露，螳螂躲在暗处想捕捉它，却没有料到黄雀正在后面伺机捕捉，而黄雀也没有料到树下有顽童正准备用弹弓射杀它。

这段话引用两则典故，意在点醒人们，不要怀抱任何侥幸心理，不要依仗投机取巧做事，机里藏机，变外生变，当你绞尽脑汁算计他人的时候，可能自己已被人算计。只有去除机心，顺应自然，抱朴守拙，始终如一，才有可能获得最终胜利。

九一

作人无一点真恳[①]的念头，便成个花子[②]，事事皆虚；涉世无一段圆活[③]的机趣，便是个木人，处处有碍。

---

① 真恳：真诚恳切。

② 花子：即"花架子"，指虚有其表、华而不实。

③ 圆活：圆通灵活。

【翻译】

做人没有一点真诚恳切的念头，便成了花架子，每件事都是虚假的；处世如果没有一点圆通灵活的技巧，就是个木头人，处处都将碰到障碍。

【赏析】

做人要真恳，真恳是一种生活态度，体现了对生命的尊重和对美好的渴望。处世要圆活，圆活是一种生活技巧，体现了对自我的保护和对社会的妥协。我们渴望得到真正的感情，所以要真恳；我们不能为了自己的渴望和满足而肆意妄为，所以要圆活。

做人不能像花架子，处世不能像木头人，花架子外观漂亮，处处招风，但稍一深入，就会发现它一无是处。譬如爱情，即使拥有英俊的外表，如果没有一颗真心，一切都毫无意义。如果走向另一个极端，虽然实诚，但像木头人一样没有办法交流沟通，爱情同样没有着落。

从真恳到圆活，从花架子到木头人，人一直在矛盾中努力寻找平衡点。

九二

有一念而犯鬼神之禁，一言而伤天地之和[1]，一事而

---

① 天地之和：天地间的和谐秩序。

酿[1]子孙之祸者，最宜切戒。

【翻译】

如果有触犯鬼神禁忌的念头，有破坏天地和谐秩序的言语，有酿成祸害子孙的事情，最应该禁绝。

【赏析】

所谓犯鬼神之禁，就是对鬼神不敬，比如亵渎神佛，砸毁鬼神塑像，对鬼神心怀怨愤，等等。这里当然存在很多迷信的成分，我们不妨把鬼神看作主宰人类命运的自然力量，或者我们心中的信仰，顺应自然，尊重信仰，这一条就很有现实意义了。

所谓伤天地之和，就是挑战天地间固有的秩序，比如肆无忌惮地砍伐森林、捕杀野生动物、不科学地改造山川河流等等。

所谓酿子孙之祸，即佛教讲的因果报应，人若穷奢极欲，贪婪龌龊，伤天害理，则会导致身败名裂，子孙也将受到牵连。

一言可以兴，一言可以亡，做人宜谨言慎行，明辨善恶，敬鬼神，和天地，才能造福子孙。

① 酿：造成。

九三

事有急之不白[①]者，宽之[②]或自明，毋躁急以速其忿[③]；人有切[④]之不从者，纵之或自化[⑤]，毋操切以益其顽[⑥]。

【翻译】

有些事情情急之间弄不清楚，宽缓一段时间或许自然明白，不要急躁以至于加剧烦乱的情绪；有些人不顺从驾驭，放松不管或许他会觉悟，不要过于苛刻让其更加抵触。

【赏析】

时间是剂良药，可以解除痛苦，也可以消除疑惑。芸芸众生，有许多事情想不通、解不开、理不顺。愈是急迫，愈是烦躁，愈是迷茫。这时候，最好的办法是放下，或许心平气和之时，更有可能豁然开朗，一切都迎刃而解。譬如“月涌大江流”是怎样的意境，年少时想象不出。成年之后，站在黄鹤楼头，或者燕子矶上，感受长江的浩瀚与阔远，这一句诗便豁然而解。

对于驾驭人物，也要讲究策略，不可一味严苛操切。一把沙子，越想用力攥紧，越容易从指缝中流失。想要得到，

---

① 白：清楚、明白。

② 宽之：放宽，使松缓。

③ 忿：心绪散乱。

④ 切：驾驭、胁迫。

⑤ 自化：自我觉悟。

⑥ 顽：顽固，不驯服，这里指抵触。

不如先放下，它若依然还在，就会真正属于你。

九四

节义傲青云[①]，文章高白雪[②]，若不以德性陶熔[③]之，终为血气之私[④]、技能之末。

【翻译】

节操义气傲视高官显爵，文章诗赋高过优秀的名篇佳作，如果不用道德品性陶冶浸润，终究是个人冲动的意气、低端的技能。

【赏析】

一个人具备节操义气值得赞扬，能写出锦绣文章自然也十分出众。然而节操义气容易沦为个人冲动的意气，比如为朋友两肋插刀，表面上义气可嘉，但并不一定就是维护公平正义。比如攻讦谩骂高官富豪，表面上傲视权贵，但也许被攻讦谩骂的是清官仁富。所以节操义气必须经过道德品性陶冶才有可能成为高节正义。锦绣文章也需要道德品性浸润。文章的要义在于为时而著，为事而作，承载着言志、传道、讽喻的功能，失去了灵魂，锦词绣句不过是一套华丽的衣服，

---

① 青云：原指高空中的云。比喻高官显爵。

② 白雪：春秋时有古琴曲《白雪》，为艺术性较高，难度较大的琴曲。后也指高雅的诗词文章。

③ 陶熔：陶冶、浸润。

④ 血气之私：指感情冲动的个人意气。

难以掩盖骨肉的枯槁和思想的贫瘠。

九五

谢事[1]当谢于正盛之时，居身宜居于独后[2]之地，谨德[3]须谨于至微之事，施恩务施于不报之人。

【翻译】

辞去官职，远离俗事应当在事业正兴盛的时候，安身居家应当在与世无争的地方，谨慎修德要关注最细微的事情，施舍恩惠要给予无力回报之人。

【赏析】

事业到了巅峰，接下来该走下坡路了。与其坐等衰败，不如急流勇退，既能保住现有功名，又避免了可能到来的狼狈不堪。汉武帝宠妃李夫人重病在身，卧榻不起。汉武帝前去探望，但李夫人坚决不以病容见皇帝。因为她知道，皇帝爱的是她美丽的容颜，如果见到她憔悴的模样，爱恋一定会减弱。李夫人深谙“谢事当谢于正盛之时”的道理，她去世后，汉武帝果然对她念念不忘。赵匡胤未得天下时，据说在破庙中见一群强盗欺凌一位弱女子，于是挺身而出，救下女子并护送她回家。女子以身相许，赵匡胤说：“施恩图报，与

① 谢事：辞去官职，远离俗事。
② 独后：独自在后，比喻与世无争。
③ 谨德：谨慎地修养道德。

强盗何异！”这段“千里送京娘”的故事告诉人们：施不报之恩才是真豪杰！

九六

念头宽厚的，如春风煦育[①]，万物遭之而生；念头忌克[②]的，如朔雪阴凝[③]，万物遭之而死。

【翻译】

念头宽大博厚的人，像春风温暖和煦，万物遇到它得以滋养生长；心思嫉妒刻薄的人，像冬雪阴冷凝结，万物遇到它难免枯寂死亡。

【赏析】

李广是汉朝大名鼎鼎的“飞将军”，但曾因败于匈奴而被罢免。闲居期间，他和手下外出打猎，夜半而归。李广经过霸陵亭时，被霸陵尉扣留。手下为他求情，霸陵尉刚好喝醉了，就说：“现将军也不得通行，何况前将军。”后来，汉武帝重新起用李广，李广提出让霸陵尉一起出征，他利用职权，借机将霸陵尉处死。李广虽立有大功，但心胸狭窄，为人忌克，不似名将风范。李广终生未得封侯，不能不说这与他孤傲自负、睚眦必报的性格有很大关系。念头忌克，终会种因

① 煦（xù）育：抚育、养育。

② 忌克：谓心存嫉妒而欲驾凌于人，待人刻薄。

③ 阴凝：阴气凝结。

得果。朔雪阴凝，不如春风煦育。

九七

勤者敏[①]于德义，而世人借勤以济其贪；俭者淡于货利[②]，而世人假俭以饰其吝。君子持身之符[③]，反为小人营私之具[④]矣，惜[⑤]哉！

【翻译】

勤劳的人勉力追求道德信义，但世俗的人却假借勤劳的名义满足他们的贪欲；节俭的人淡泊货物财利，但世俗的人却假借节俭掩饰他们的吝啬。君子修身立德的准则，反而成为小人谋取私利的工具，痛心呀！

【赏析】

相似的行为，出发点不同，效果截然相反。譬如勤劳和贪婪，表面上都在追求财富，但前者行的是德义，后者济的是私欲；譬如节俭和吝啬，似乎都是精打细算，但前者淡泊，后者功利。别有用心的人，打着勤劳的旗号，行贪婪之实，打着节俭的旗号，行吝啬之实。世俗之人不能分辨其中玄奥，往往被表面现象迷惑。善良的人省吃俭用，积攒钱财救助贫

---

① 敏：勤勉。
② 货利：货物财利。
③ 符：凭证。这里是准则的意思。
④ 具：用具、工具。
⑤ 惜：此处是痛心的意思。

困，却被误解的人讥为吝啬；贪婪的人蝇营狗苟，也显得忙忙碌碌，不明就里的人却以为其勤劳。其实，区分勤劳还是贪婪，节俭还是吝啬，只需看其行为的落脚点在私还是在公，利己还是利他，看其手段正当还是龌龊，胸怀坦荡还是阴暗。勤俭是福，福在德义，否则只有近利而无远福。

九八

人之过误[①]宜恕，而在己则不可恕；己之困辱[②]宜忍，而在人则不可忍。

【翻译】

对别人的过失错误应当宽恕，但自己的过失错误则不能宽恕；自己的困厄屈辱应当忍受，但对别人的困厄屈辱则不能听之任之。

【赏析】

同一片森林之中，有些树木高大挺拔，有些树木矮小屈曲，有些树木粗壮坚实，有些树木纤细柔弱。生活在同一个世界，有些人优秀，有些人平庸，有些人强大，有些人弱小。要让自己成为出类拔萃的强者，就要拔高标杆，严格要求自己，经受困厄屈辱的历练。但既然物有良莠，人有贤愚，就不必把自己的标准强加他人，而要善于体谅别人的难处，包

① 过误：过失和错误。
② 困辱：困厄和屈辱。

容别人的缺点。这就是儒家所倡导的“严以律己，宽以待人”。严以律己，以铁石心肠对待自己，虽荆棘危崖也不回头。宽以待人，以仁慈之心对待别人，像春风拂过枯枝，如阳光照耀冰雪。爱人者，人恒爱之。站在他人的立场和角度考虑问题，胸怀博大，才能做出济世救民之举，成就自己的道德和功业。

九九

遇欺诈的人，以诚心感动之；遇暴戾[①]的人，以和气熏蒸[②]之；遇倾邪私曲[③]的人，以名义气节激励之。天下无不入我陶熔中矣。

【翻译】

遇到欺诈的人，用真心实意感动他；遇到暴戾的人，用平和之气熏陶他；遇到邪僻不公的人，用名义气节激励他。天下没有不能被我陶冶感化的人。

【赏析】

孔子倡导“仁政”，提倡以德治国；老子强调用善行善言以身施教；佛教认为众生平等，皆有佛性，拒绝暴力。中华主流文化是儒释道的合体，在教育上讲究春风化雨，润物无

---

① 暴戾：残暴酷虐，粗暴乖戾。
② 熏蒸：这里是熏陶感化的意思。
③ 倾邪私曲：为人邪僻不公正。

声。据说北风与太阳打赌，看谁的力量大，能让路人脱掉棉衣。北风使劲吹，越吹越冷，路人把棉衣越裹越紧。而太阳则把温暖的阳光洒向行人，行人感到周身暖和，主动脱掉了棉衣。这个故事告诉人们，感化比威逼更为有效。

一〇〇

一念慈祥，可以酝酿两间[①]和气；寸心洁白，可以昭垂[②]百代清芬。

【翻译】

一个慈祥的念头，可以酝酿出天地之间的一团和气；一颗洁白的心，可以昭示出千秋百代的清新芬芳。

【赏析】

见石涧溪流，定然有自然清爽之气；见花草林木，定然有欣欣向荣之气；见田园衡茅，定然有休闲淡泊之气；见人声鼎沸，定然有世俗市侩之气；见舞榭歌台，定然有奢华富贵之气；到战场阵前，定然有争斗杀伐之气。而天地间最为珍贵的，莫过于一团和气。万物共生共长，谓之和谐；世间安宁平静，息戈止武，谓之平和；顺应自然，不违时节，谓之和顺；吉祥美好，万事如意，谓之祥和。

万事和为贵，然而如何得到这一团和气？境由心造，心

① 两间：指天地之间。

② 昭垂：昭示、流传。

和则气和。心地纯洁，自不见污秽；心念慈祥，自不见争伐。

一〇一

夸逞[1]功业，炫耀文章，皆是靠外物[2]做人。不知心体莹然[3]，本来[4]不失，即无寸功只字[5]，亦自有堂堂正正做人处。

【翻译】

夸耀功绩事业，炫耀所写文章，都是靠身外之物立身行事。人们不明白如果内心纯洁光明，不丧失本有的心性，即使没有一点功劳，没有写过一个字的文章，做人仍有堂堂正正的地方。

【赏析】

"立德、立功、立言"是古人心中的三不朽，排序是非常明确的，以立德为首。道德是立身之本，犹如树木的根，功业和文章只是散发的叶和开出的花。叶和花看起来赏心悦目，然而只有根才能供应树木生长的营养。假如一个人品德卑劣，即便建功立业、著作等身，不过是金玉其外、败絮其中。如若心体莹然，品行卓越，即便未有寸功只字，也会受人尊敬。做人当以道德为本，在修身养德的基础上建功立业。我们也

---

① 夸逞：夸耀、显示。
② 外物：身外之物。这里指功业、文章等。
③ 莹然：形容光洁明亮的样子。
④ 本来：指人本有的心性。
⑤ 只字：指没有写过一个字的文章。

不可被别人外在的光环蒙蔽，过于看重功业文章和荣誉地位。应该以德行作为评价人物的标准。

一〇二

居官[①]有二语，曰："惟公[②]则生明[③]，惟廉则生威。"居家[④]有二语，曰："惟恕则平情[⑤]，惟俭则足用[⑥]。"

【翻译】

做官要记住两句话："只有公正才能清明，只有廉洁才能有威严。"治家也要记住两句话："只有宽容才能使心情平和，只有节俭才能使财用富足。"

【赏析】

"公生明，廉生威"应为居官者的座右铭。普通百姓无缘步入仕途，然而居家也有"法宝"。日常生活追求的也有两样东西，即精神上的愉悦和物质上的富足。怎样做到这两点？一是"恕"，一是"俭"。恕即宽容，把心放宽，容难容之人，就不会有那么多烦心之事。俭即节俭，量入为出，不奢靡，不攀比，不浪费，久而久之，自会家有余财，衣食富足。

---

① 居官：做官。

② 公：公平、公正。

③ 明：这里指明断是非。

④ 居家：此处指治家。

⑤ 平情：公允而不偏于感情。这里指心情平和。

⑥ 足用：满足日常用度。这里指财用富足。

一〇三

处安乐之场，当体[1]患难景况[2]；立旁观之地，要知当局苦衷；理现成之事，宜审[3]创始艰辛。

【翻译】

处在安宁快乐的场所，应当设身处地体察别人的困难处境；站在旁观者的位置，应当知道别人置身其中的苦衷；打理现在已有的事业，应当审视开创时的艰辛。

【赏析】

孔子提倡“己所不欲，勿施于人”。儒家通过换位思考，教人学会互相包容、互相理解、互相帮助。一年大雪，齐景公披着狐皮袍欣赏雪景，希望大雪能多下几天。晏子问景公：“冷吗?”景公答：“不冷。”晏子又问：“真的不冷?”景公点点头。晏子说：“我听闻古之贤君，自己吃饱了会想着还有人正挨饿；自己穿暖了会想着还有人正受冻；自己安逸了会想着还有人正辛苦做事。”景公听后面露愧色。

学会体谅别人，就是学会成长，学会担当，做对社会有益的人。

---

① 体：设身处地为人着想。

② 景况：情况、境况。

③ 审：审察。

一〇四

休与小人仇雠[1]，小人自有对头；休向君子谄媚，君子原无私惠[2]。

【翻译】

不要与小人结下仇怨，小人自然有他的冤家对头；不要向君子奉承讨好，君子原本没有私人恩惠。

【赏析】

君子不可与小人为敌，因为在世俗的角斗场上，君子远非小人的对手。

小人搬弄是非，可以让君子变成孤家寡人；小人颠倒黑白，可以让君子麻烦缠身；小人暗箭伤人，可以让君子蒙受冤屈；小人不择手段，可以让君子蒙受损失；小人依附权势，可以让君子身败名裂。所以君子不可与小人争锋。对小人的正确态度是：能忍则忍，能避当避。退一步海阔天空，把自己的空间让出一些，让小人独自陶醉。忍让和躲避并非畏惧，因为小人终难长久，自会有人收拾。秦朝的赵高，汉朝的江充，唐朝的来俊臣……这些历史上著名的奸佞，都没有好下场。君子只要坚守住心中的信仰，总会在不经意间将小人甩在身后。

---

① 仇雠（chóu）：此处指结下仇怨。

② 私惠：出于私人考量的恩惠。

一〇五

磨砺[1]当如百炼之金，急就[2]者非邃养[3]；施为[4]宜似千钧之弩，轻发者无宏功[5]。

【翻译】

磨炼应当像金子一样经过千锤百炼，急于求成的人学问和修养难以深厚；行动应当像拉开千钧强弓一样，轻松发射不会有很大的功效。

【赏析】

一个人经受磨砺是成长的必须过程，会遭遇艰难和险阻，需要一点一点去克服，不可能一蹴而就。行动则应雷厉风行，全力以赴，不应该蜻蜓点水，浅尝辄止。《聊斋志异》中有个《劳山道士》的故事，有位王姓书生羡慕道术，到崂山寻仙访道，但他吃不了苦，仙人以法术劝导他，他还是难以成材，仅两个月就畏惧苦累，向师父辞行。仙人于是教授他一招穿墙术，他回家卖弄，却碰得鼻青脸肿，像王生这样不经磨难匆促而成的，终究学养浅薄，难有成就，以失败告终亦在情理之中。

---

① 磨砺：比喻人经受磨炼。
② 急就：匆促而成。
③ 邃（suì）养：深厚的学问和修养。
④ 施为：作为、行动。
⑤ 宏功：很大的功效。

一〇六

俭，美德也，过则为悭吝[①]，为鄙啬[②]，反伤雅道[③]；让[④]，懿行[⑤]也，过则为足恭[⑥]，为曲[⑦]礼，多出机心。

【翻译】

节俭，是美好的品德，过度节俭就成为悭吝小气、成了鄙啬吝惜，这样反而伤害忠厚之道；谦让，是美好的行为，过度谦让就成了谄媚逢迎、成了曲意恭维，大多出于巧诈机变之心。

【赏析】

吝啬和节俭看似相近，其实大为不同。节俭是对金钱和欲望的节制，而吝啬是对金钱和欲望的贪婪。吝啬鬼不舍得花钱，不懂得享受，一心想着占有。葛朗台是巴尔扎克笔下著名的吝啬鬼。他半夜里一个人把玩、欣赏积攒的金币，然后放进桶里，紧紧地箍好。在他眼里，女儿妻子还不如他的一枚硬币。由此可见，过度的节俭与贪婪毫无二致。凡事过犹不及，过度的谦让同样伤害善良的品行。谦让的要义是真心实意，表现在外是恰到好处。如果超越常态，就显得虚伪刻意。

---

① 悭（qiān）吝：吝啬、小气。
② 鄙啬：小气、吝啬。
③ 雅道：正道，忠厚之道。
④ 让：把方便或好处给别人。
⑤ 懿行：美好的行为。
⑥ 足恭：过度谦敬，以取媚于人。
⑦ 曲：邪僻，不正派。

一〇七

仁人心地宽舒[1]，便福厚而庆[2]长，事事成个宽舒气象；鄙夫[3]念头迫促[4]，便禄薄而泽短，事事成个迫促规模。

【翻译】

有德行的人心地宽厚从容，所以福运深厚且泽禄长久，每件事都成就宽厚从容的气象；见识浅陋的人迫切急促，所以福运浅薄且泽禄短暂，每件事都落个迫切急促的局面。

【赏析】

汉朝大儒董仲舒在胶西国做国相，胶西王说："勾践贤明，范蠡、文种有才能，可以称为越国'三仁'。"董仲舒说："所谓仁人，正其道不谋其利，修其理不急其功。越国恰好相反，哪里来的仁？"他还举例说，鲁国国君想攻打齐国，征求柳下惠的意见，柳下惠深以为耻，自责道："运用阴谋侵略邻国的事，不会向仁者讨教，国君为什么问我呢？"董仲舒用这两个事例，说明仁爱的人宽厚从容，着眼于教化百姓，改良社会风气，让人民过上幸福的生活。统治者急功近利只会劳民伤财，虽得到了眼前的利益，但消耗了国力和德业，其福泽也会受到损害。

---

① 宽舒：宽厚从容。

② 庆：这里是泽禄的意思。

③ 鄙夫：人品鄙陋、见识浅薄的人。

④ 迫促：急促、急迫。

一〇八

大人[1]不可不畏，畏大人则无放逸之心；小民亦不可不畏，畏小民则无豪横[2]之名。

【翻译】

对身居高位的人不能不敬畏，有所敬畏就不会有放纵逸乐之心；对平民百姓也不能不敬畏，有所敬畏就不会有强横欺人的恶名。

【赏析】

这里的“畏”，是敬畏。敬是严肃认真，畏是谨慎周全。敬畏是一种处世态度，是从心底涌出的精神力量。人若失去敬畏，犹如黑夜行走于悬崖之巅，将处于危险的边缘。孔子倡导“畏天命、畏大人、畏圣人之言”。畏天命，就是尊重自然规律，心中要有信仰；畏大人，就是遵循社会规范，不犯上作乱；畏圣人之言，就是听从圣贤的教诲。“三畏”是对普通民众的要求，对于官吏来说，还应“畏小民”。小民如水，水能载舟，亦能覆舟。有了对老百姓的敬畏之心，当政者才不敢横征暴敛、巧取豪夺，政权的根基才会稳固。

---

① 大人：身居高位的人。

② 豪横：强横，仗势欺人。

一〇九

事稍拂逆[1]，便思不如我的人，则怨尤[2]自消；心稍怠荒[3]，便思胜似我的人，则精神自奋。

【翻译】

事情稍微不顺心时，想一想不如自己的人，怨恨责备自然消除；思想稍微懒惰颓废时，想一想比自己强的人，精神自然振奋起来。

【赏析】

有一种“比”叫攀比，还有一种“比”叫对比。人生不可攀比，但不能不对比。

逆境中困苦不堪，筋疲力尽，对比一下处境更差的人，厌烦之心自然消除。譬如寄身陋室，想一想还有人露宿街头，顿觉茅屋也有温情。譬如仕途不顺，想一想平民百姓正在挥汗如雨，顿觉险阻不过泥丸。

前行中道路坎坷，失去信心，对比一下那些成功者，会找到奋进的勇气。譬如有些人事业比自己好，有些人学问比自己深，有些人能力比自己强，有些人品行比自己高。

善于比较，给自己找准定位，找到前行的动力，找到梦想的方向。

---

① 拂逆：不顺心。
② 尤：责备、责怪。
③ 怠荒：懒惰颓废。

一一〇

钓水[1]，逸事也，尚持生杀之柄[2]；弈棋，清戏[3]也，且动战争之心。可见喜事[4]不如省事之为适，多能不如无能之全真。

【翻译】

钓鱼是消遣之事，尚且掌握着生死的权柄；下棋是清静的游戏，尚且动着战争的心思。可见喜欢多事不如少做事合适，拥有多项才能不如没有才能从而保全本性。

【赏析】

道家提倡“为无为，事无事”。无事就是少事省心，无为就是顺其自然，顺应民众。

鱼儿生活在水里，鸟儿飞翔在天空，禽兽奔走于原野，是大自然固有的状态。人们临水垂钓，弯弓射鸟，走马猎兽，是对自然生态的破坏。此违背了“无事”的原则。

百姓安居乐业，丰衣足食，是社会固有的状态。统治者横征暴敛，挥霍无度，是对社会生态的破坏。此违背了“无为”的原则。

无论社会还是个人，最好的状态就是多一事不如少一事，

---

① 钓水：临水垂钓。

② 生杀之柄：操纵别人生或死的权力。

③ 清戏：清静的游戏。

④ 喜事：喜欢多事。

用尽心机不如抱朴守拙。

一一一

听静夜之钟声，唤醒梦中之梦[1]；观澄潭之月影，窥见身外之身[2]。

【翻译】

在安静的夜晚听见钟声响起，唤醒人生中的梦境；在清澈的潭水中看见月亮的影子，仿佛看见肉体外的精神本体。

【赏析】

唐代张继科举落榜，在姑苏城外的客船上彻夜难眠。夜半钟声响起，张继无限感慨，用诗歌记录下当时的心情。人生百年，不过匆匆过客，正如眼前寂寥的月光，浩瀚的江水，不过一场梦幻而已。诗人由痛苦而惆怅，明天的小船还将在羁旅行役中悠然飘荡。同样经历过人生痛苦的苏东坡，面对一江秋水，高吟“人生如梦，一樽还酹江月”，安心享受江上清风，山间明月，将痛苦轻轻翻过。人生的吉凶祸福变化无常，何必为此耿耿于怀。

① 梦中之梦：把人生比作一场梦，一切际遇都是梦中之梦。
② 身外之身：肉体之外的精神本体。

一一二

鸟语虫声，总是传心[1]之诀；花英[2]草色，无非见道[3]之文。学者要天机清彻，胸次[4]玲珑[5]，触物皆有会心处。

【翻译】

鸟叫虫鸣，都是传心的秘诀；花草颜色，无非是洞彻真理的文字。学者要心灵通透，胸怀光明磊落，接触任何事物都有会心的地方。

【赏析】

什么是学问？文字所传为学问，老师讲解为学问，圣人之言为学问，人情练达为学问。花鸟鱼虫，山川云电，处处留心皆有学问。人们从“春风吹又生”中，感受到草木生命力的顽强；从“相看两不厌”中，感受到大山的情怀；从“桃花潭水”中洞见友情。儒家讲“格物致知”，佛家说“一花一世界，一树一菩提”，都是说世上万物皆含至理，推究事物的原理，便能够获得知识。古人观于天地、山川、草木、虫鱼、鸟兽，往往有得，以其求思之深而无不在也。因为求思之深，所以能触物会心。

---

① 传心：禅宗认为佛法只能靠心灵领会，无法用文字说明，称为传心。
② 花英：花朵。
③ 见道：洞彻真理。
④ 胸次：胸怀。
⑤ 玲珑：这里是光明磊落的意思。

一一三

人解[①]读有字书，不解读无字书[②]；知弹有弦琴，不知弹无弦琴[③]。以迹用[④]不以神用[⑤]，何以得琴书佳趣？

【翻译】

人们只知道读有文字的书，不知道读没有文字的书；只知道弹有弦的琴，不知道弹没有弦的琴。重视有形物体的作用而不重视精神作用，怎么能体会到弹琴读书的乐趣？

【赏析】

大多数研学之人，习惯把学问囿于书本之上，死读书，读死书，从故纸堆里寻章摘句。真正做学问，把山川河流当书本，以人情世故为文章，这样才能得知识之精妙。孔子苦读有字书，达到“韦编三绝”，他更重视读无字书，通过周游列国历练自己。陆游善作诗，是存诗最多的诗人之一，临终前他教儿子写诗，深刻体会到功夫在诗外。诗歌的辞藻、技巧等，只是停留在迹用的层面，内容、意境，才属神用的层面。他在一首诗中说：“纸上得来终觉浅，绝知此事要躬行。”讲明了读“无字书”，开阔眼界的重要性。

---

① 解：晓悟、明白。

② 无字书：指天地万物一切有形物体。

③ 无弦琴：指天地间一切声音。

④ 迹用：有形物体的作用。

⑤ 神用：精神的功能。

一一四

山河大地已属微尘，而况尘中之尘[1]！血肉身躯且归泡影，而况影外之影[2]！非上上智，无了了心。

【翻译】

山河大地已经属于微尘，何况微尘中的微尘！血肉身躯尚且归于泡沫幻影，何况泡影外的泡影！没有最上等的智慧，就没有最透彻的思想。

【赏析】

从空间维度来讲，浩渺的太空无边无际，日月星辰可以忽略不计，小小的个人更不值一提。从时间维度来讲，斗转星移无穷无尽，江月年年只相似，人生代代已轮回。个人如此渺小，并终将如泡影归于幻灭，我们还有什么理由不珍爱生命，而斤斤计较于名利地位、荣辱得失呢？历史上那些曾经不可一世的大人物，“香径没、徒有荒丘”。真是豪华尽成春梦，留下多少古今愁。

一一五

石火光中，争长竞短，几何光阴？蜗牛角上，较雌论

① 尘中之尘：指人的躯体。
② 影外之影：指名利地位等身外之物。

雄，许大世界？

【翻译】

石火光中，争执长短，有多少光阴？在蜗牛的触角上，争夺胜负，有多大空间？

【赏析】

道家思想要义，除了“无为”，还有“不争”。佛教中的放下，也是不争。不争，因为不值得争。人生百年，白驹过隙，如匆匆过客，生不带来，死不带走，争来争去有什么意义？宇宙浩瀚，人如微尘，好像生活在蜗牛的触角上，即便争出个你败我胜，又有多大意义？

世人所争夺的，无非虚名荣利。追求这些根本触摸不到生命的本真！生命的本真在于顺应自然，看淡世事，以平和的心态享受生活。

时光如水，酒水烈，茶水酽，清水则刚刚好。人们留不住岁月，但可以把握好每一个属于自己的清晨。

一一六

有浮云富贵[①]之风，而不必岩栖穴处[②]；无膏肓泉石[③]之

---

① 浮云富贵：视富贵为浮云。

② 岩栖穴处：住在岩石和山洞之中。比喻隐居深山。

③ 膏肓（huāng）泉石：指酷爱山水到了痴迷的地步。

癖，而常自醉酒耽[1]诗。竞逐[2]听人而不嫌尽醉，恬淡适已而不夸独醒。此释氏[3]所谓不为法缠，不为空缠，身心两自在者。

【翻译】

有视富贵如浮云的风骨，就不必隐居深山幽谷之中；无酷爱山水的癖好，自己就常常沉溺诗酒之中。听任别人争名逐利但不嫌弃他们沉醉俗世，自我满足于恬静淡泊但不夸耀唯独自己清醒。这是佛祖所说的不被物欲缠绕，不被虚幻蒙蔽，身体心灵自由自在的境界。

【赏析】

人生在世，为谁而活？忧国忧民固然可歌可泣，独善其身未尝不值得称道。当年屈原感慨世事多艰，长叹"众人皆醉我独醒"。佛教认为，醉者自醉，醒者自醒，各有因缘。生命的本质在于"自适"，对人希求"自悟"，而不是强行一致。心中远离富贵，身处闹市与隐居深山并无不同。生性不爱山水，饮酒耽诗同样可以抒发情怀。大千世界，不必羁绊于有形的外物，不必纠葛于虚幻的道理，听从内心的召唤，就是大彻大悟。

---

① 耽：沉溺。

② 竞逐：竞争、争逐。

③ 释氏：指佛祖释迦牟尼。

一一七

延促[1]由于一念，宽窄系之寸心。故机闲[2]者一日遥[3]于千古，意宽者斗室广于两间[4]。

【翻译】

长短来源于一念，宽窄出自于寸心。所以心意悠闲的人一天比千古更长，心意宽广的人斗室比天地更大。

【赏析】

人生短暂，却会遭遇种种干扰，滋生出种种烦恼。譬如因富贵诱惑生出羡慕之情而产生烦恼。譬如因才情而自恃，因权势而自负，因欲望而浮躁，因攀比而嫉妒。其实，所有的干扰和烦恼都缘于主观感受，放下那一念延促，寸心宽窄，世界平和而安稳，不急不躁，不愠不怨。佛家说“心无物，天地宽”。把心中的凡尘杂念抛开，就会感觉天地辽阔，心气畅通。世上的事，该来的总要来；世上的人，该遇到的总会遇到，不以人们意志为转移。既然无力改变，不如调整心态，坦然接受，欣然面对。同样的事情，对心胸狭窄的人是烦恼，对心胸宽广的人是平常。生活在天堂还是地狱，取决于我们的生活态度，取决于意念心胸。

---

① 延促：长短。

② 机闲：心意悠闲。

③ 遥：远。

④ 两间：天地之间。

一一八

都来[1]眼前事，知足者仙境，不知足者凡境；总出世上因[2]，善用者生机，不善用者杀机[3]。

【翻译】

总的来说，对于眼前的事情，懂得满足的人身处神仙境界，不懂得满足的人仍在平凡境地；总的来看，对于世上的因缘，善于应用的人会拥有生存发展的机会，不善于应用的人会遭遇失败。

【赏析】

面对同样的环境，同样的际遇，有的人笑口常开，有的人愁眉苦脸，有的人云淡风轻，有的人患得患失。明代胡九韶一边教书，一边耕作，勉强温饱。每天黄昏，他都要焚香祭拜，感谢上天赐予清福。妻子说："一日三餐粗茶淡饭，哪里有什么清福？"胡九韶说："太平无兵祸，饱暖无饥寒，健康无疾病，守法无牢狱，这难道不是清福吗？"唐代诗人刘禹锡被贬为和州通判时，住在狭小昏暗的居室。他却欣喜于"苔痕上阶绿，草色入帘青"的美丽景色，并在"调素琴，阅金经"中怡然自乐，感叹"斯是陋室，惟吾德馨"。于困境之中发现美，发现生活中的快乐。

---

① 都来：总的，总是。

② 因：佛教所谓的因缘，即事物发展的前提条件。

③ 杀机：致死之道。此处指遭遇失败。

一一九

趋炎附势[1]之祸，甚惨亦甚速；栖恬守逸[2]之味，最淡亦最长。

【翻译】

巴结权贵、依附权势所产生的祸端，很惨烈也很迅速；寄身恬静、保持安逸所品味的乐趣，最平淡也最长久。

【赏析】

何晏是曹操的养子，又是曹操的女婿，他虽有一定的才能，但急功近利，依附曹爽，引导曹爽追求虚华，最终导致曹爽失政被杀，也给自己招来祸端。历史上的权臣，周围大都聚集着一批趋炎附势之徒。一旦靠山倾覆，他们无不身败名裂，家破人亡。而那些恬静安逸之士，选择远离政治漩涡，反倒避祸消灾，得以保存性命。东晋谢安出身世家大族，却淡泊名利，隐居不仕。后因时局动荡，被迫出山。他先是挫败桓温篡位意图，又在淝水之战中调度有方，东晋得以打败后秦。等功名炽盛，他主动交出权力，远离朝廷，避免了猜忌，受人称誉。

---

① 趋炎附势：巴结、依附有权势的人。
② 栖恬守逸：安于恬淡，保持安逸。

一二〇

争先[①]的径路[②]窄，退后一步自宽平一步；浓艳[③]的滋味短，清淡一分自悠长一分。

【翻译】

争强好胜的道路狭窄，向后退却一步自然宽敞平坦一些；浓重艳丽的滋味短浅，品味清淡一分自会悠然长远一些。

【赏析】

名利是一条令人向往的道路，人们总是想方设法跻身其中。越是这样，越是阻塞难行，甚至车倾马覆。后退一步，不与人争，蓦然发现，原来海阔天空，另有风景。

名利又是一杯浓烈的酒，饮时甘醇，让人为之沉醉痴狂，过后则是深深的落寞，只有更大的刺激才能填补空虚的心灵。不若饮之清泉，虽然恬淡，但性情平和，有益身心。

人生不必追求轰轰烈烈，但求内心充实；不必声名显赫，但求品味优雅；不必富贵享乐，但求冲淡纯素。

---

① 争先：这里指争强好胜。

② 径路：小路，狭窄的道路。

③ 浓艳：色彩浓重艳丽。这里指俗世的各种诱惑。

一二一

隐逸[1]林中无荣辱，道义路上泯[2]炎凉[3]。进步处便思退步，庶免触藩[4]之祸；着手时先图放手，才脱骑虎之危。

【翻译】

避世隐居的山林中没有荣耀和屈辱，道德正义的大路上泯灭了世态炎凉。前进的时候想好退路，才能避免进退两难的灾祸；下手的时候先想着放手，才能脱离骑虎难下的危险。

【赏析】

关于荣辱，有“义”“势”之分。以道德和正义划分荣辱，为“义荣”“义辱”；以权势和财富划分荣辱，为“势荣”“势辱”。东晋石崇与王恺斗富，胜者为荣，就是“势荣”。韩信没有显赫时从恶少胯下爬过，所受屈辱就是“势辱”。关乎权势地位，无论荣耀还是屈辱，都令君子不齿。忘掉荣辱的最好办法是摆脱世俗，摆脱世俗的最佳途径是隐逸山林。春秋范蠡帮助越王勾践灭亡了吴国，但他深知荣耀如烈火，稍有不慎就身名俱焚，因此隐姓埋名，高蹈江湖。东晋陶渊明不堪“为五斗米折腰”，愤而离去，躬耕田园。惟有修养道义，放平心态，避世脱俗，才能宠辱偕忘，波澜不惊。

---

① 隐逸：避世隐居。
② 泯：消失、泯灭。
③ 炎凉：指天气的热和冷。此处指世态炎凉。
④ 触藩：公羊以角抵撞藩篱。比喻碰壁，进退两难。

一二二

贪得者，分金恨不得玉，封公[①]怨不授侯，权豪自甘乞丐；知足者，藜羹[②]旨[③]于膏粱[④]，布袍暖于狐貉[⑤]，编民[⑥]不让王公。

【翻译】

贪得无厌的人，分到金银又恨不能得到珠玉，封了公爵又抱怨没有授予侯爵，虽然是权贵豪强却甘心做个乞丐；知道满足的人，吃到藜菜羹汤比肥肉细粮更美味，粗布衣服比狐貉皮袍更暖和，即使做个平民也不比王公贵族逊色。

【赏析】

人生是否快乐，与权势、财富没有关系。人贪得无厌、欲壑难平，有了金银，还想获取珠宝；做了尚书，还想做三公；封了公侯，还想得到王位。荣华富贵永无止境，因此钻营者总是奔走于豪门，依附于权势，像乞丐一样看人脸色，仰人鼻息。而那些温饱之家，没有太多奢求，一日三餐，齑粥藜羹，吃得心安理得。

---

① 封公：周代分封制度，爵位有五等，曰公、侯、伯、子、男。公爵等级在侯爵之上，但汉代之后，大多只有侯爵，不设公爵，所以侯爵在社会上影响比较大。此句似习惯说法，颠倒了公、侯爵位等级。

② 藜羹：用藜菜做的羹，泛指粗劣的食物。

③ 旨：味美。

④ 膏粱：肥肉和细粮，泛指精美的饮食，代指富贵生活。

⑤ 狐貉（hé）：狐貉皮袍的代称。

⑥ 编民：编入户籍的平民。这里泛指平民。

贪得者无厌，看到的都是尔虞我诈。知足者常乐，暗夜里自有明灯。人只有生活态度冲淡平和，性情风貌才能乐观积极。

一二三

矜名[①]不如逃名[②]趣，练事[③]何如省事闲。孤云出岫[④]，去留一无所系[⑤]；朗镜悬空，静躁两不相干。

【翻译】

夸耀自己的名声不如逃避名声更有趣，熟谙世事哪有减省世事更清闲。孤云飘浮在山间，离开还是逗留都没有一丝牵挂；像镜子一样的明月悬挂在天空，安静还是喧噪都没有一点关系。

【赏析】

道家认为“名为实之宾”，追逐名声属于舍本逐末。帝尧要把天下让给许由，夸耀许由的美名像日月火炬。许由回答说：“你把天下治理得很好了，我替代你图什么？难道图名吗?”张居正是明代非常有作为的内阁首辅，他推动改革，充盈财政，安定边疆，官场为之肃然。其劳瘁而死，但尸骨未寒，就遭抄家。张居正当国多年，世事练达，声名显赫，却

---

① 矜（jīn）名：夸耀自己的名声。

② 逃名：逃避名声。

③ 练事：熟谙世事。

④ 岫（xiù）：山峰。

⑤ 系：牵挂。

未能躲过身后之灾。贪名和多事是招祸之源，矜名不如逃名，练事何如省事？

一二四

芦花被[①]下卧雪眠云，保全得一窝夜气[②]；竹叶杯[③]中吟风弄月[④]，躲离了万丈红尘[⑤]。

【翻译】

盖着芦苇花絮做的被子，仿佛躺在洁白的雪花之上，睡在白云之中，保全了一团良知善念；用竹叶做的杯子饮酒赋诗，吟咏风月，可以躲离俗世的万丈红尘。

【赏析】

高山之上，白雪皑皑，云岚缭绕，芦花飞摇。以竹叶为杯，饮一杯风露，酌一壶风月，吸纳天地自然之灵气，忘掉凡间尘缘，觅得生命本真，舒展人生快意！芦花、白雪、云岚，组成清净晶莹的世界，正好洗去尘世的污浊。竹叶、清风、明月，都是造物主的馈赠，比金钱财物更赏心悦目。

---

① 芦花被：用芦苇花絮做的被子。

② 夜气：夜间的清凉之气。儒家谓晚上静思所产生的良知善念。

③ 竹叶杯：用竹叶捻成的酒杯。

④ 吟风弄月：风花雪月是诗歌长久不衰的题材，因此称填词作诗为吟风弄月。

⑤ 红尘：原指繁华的都市。后泛指纷纷攘攘的世俗生活。

一二五

出世之道，即在涉世中，不必绝人[①]以逃世；了心[②]之功，即在尽心内，不必绝欲以灰心[③]。

【翻译】

超脱世俗的方法，就在进入俗世之中，不一定要与人世隔绝以逃避世事；了悟心性的办法，就在竭尽心力之中，不一定要弃绝欲望以斩断念想。

【赏析】

世人印象中，所谓出世，就是找一处与世隔绝的山林，盖两间茅屋，种几片竹林，数亩桃树，每日过闲敲棋子、把酒临风、抱云观霞的闲逸生活。所谓了悟，就是隔绝欲望，青灯古佛，苦思冥想，对世俗之物眼不能见，手不能触，心不能想。这样的观念，形式大于内容，姿态高于实际，不是纯粹超脱，而是故弄玄虚。恬淡与自在是对本性的尊重，不是戴着枷锁跳舞。只要心中有佛，处处皆是菩提；只要心中明媚，到处能看见阳光。大隐隐于市，出世之道就在世俗之中；大悟悟于心，了心之功就在尽心之中。

---

① 绝人：与人世隔绝。
② 了心：了悟，明白心性。
③ 灰心：犹死心，斩断念想。

一二六

此身常放在闲处，荣辱得失，谁能差遣[1]我？此心常安在静中，是非利害，谁能瞒昧[2]我？

【翻译】

把自己的身体常常放在闲暇的环境中，荣耀、屈辱、得到、失去，谁能够驱使我？把这颗心常常放在安静的环境中，正确、错误、利益、损害，谁能够欺瞒我？

【赏析】

有些人蒙辱受屈，有些人上当受骗，都需要从自身查找原因。攀附权贵者，常常容易蒙受屈辱；贪占便宜者，往往容易偷鸡蚀米。不如给虚荣浮躁的心放个假，在清新的早晨，阳光静好，微风不燥，抛弃一切是非功利，拒绝一切得失诱惑，了无牵挂。只有把心放在闲暇安静之中，才会无欲无求，无悲无喜，做一回真正的自己。去除腥膻，不招蚊蚋，鲜花盛开，蝴蝶自来。

一二七

世上只缘[3]认得“我”字太真，故多种种嗜好、种种

---

① 差遣：驱使，为之奔走。

② 瞒昧：隐瞒欺骗。

③ 缘：因为。

烦恼。前人云："不复知有'我'，安知物为贵?"又云："知身不是'我'，烦恼更何侵?"真破的[①]之言也。

【翻译】

世上的人只因为把"我"字看得太认真，所以增添了种种嗜好、种种烦恼。前人说："不知道有'我'存在，怎么能知道事物的贵重?"又说："知道身体不是我的，烦恼怎么能侵入呢?"真的是切中要害的言语呀。

【赏析】

世上多烦恼，就是因"我"而存在。同样一座岳阳楼，同样一处洞庭湖，春和景明时把酒临风，喜气洋洋；淫雨霏霏时忧谗畏讥，感极而悲。何也?就是把自己看得太重，才会产生悲喜之情。有了"我"存在的强烈意识，才会想方设法满足自己的各种欲望，进而贪婪、自私、嫉妒、怨恨，滋生出无穷无尽的烦恼。古人强调"无我"，老子说"吾有大患，及吾有身"，就是要人放弃小我，淡泊世事，不与他人争利，不为自己招惹麻烦。人生短暂，身体终归化为黄土。连身体都不属于自己，那些满足身体欲求的各种嗜好，又有什么存在的意义呢!

① 破的：原指射箭射中目标。这里指言语切中要害。

一二八

人情世态，倏忽万端[1]，不宜认得太真。尧夫[2]云："昔日所云'我'，今朝却是'伊'；不知今日'我'，又属后来谁？"人常作是观，便可解却胸罥[3]矣。

【翻译】

人间情理，世俗常态，瞬息之间变化万端，不应当认得太过认真。邵雍说："昔日所说的'我'，今天却成了'他'；不知今天的'我'，又是后来的谁？"人常常这样看问题，就可以解除心中的各种牵绕羁绊了。

【赏析】

人生像滔滔江河中的水，飘忽不定而又瞬息万变；又如茫茫大地上的一抔土，湮没红尘不知其来去行迹。前生的我，后世的我，都已不是今世的我。前日的我在何处？明日的我去何方？今日的我当如何？这些问题想清楚了，心中的困惑自然烟消云散。既然人生如此渺小，又如烟云易散，为何还要把自己认得太真？不如除去偏见，随遇而安，率性自如，莫要自寻烦恼。

---

① 万端：极多而纷繁，各种各样。

② 尧夫：北宋理学家邵雍，字尧夫。

③ 罥（juàn）：捕捉鸟兽的网，此处引申为牵绕羁绊。

一二九

视民为吾民，善善恶恶[1]或不均；视民为吾心，慈善悲恶[2]无不真。故曰：天地同根，万物一体，是谓同仁[3]。

【翻译】

把民众都当成自己的民众，称赞善良的人讨厌邪恶的人有时候会不公平；把民众当作自己的真心，对善良的人仁慈对邪恶的人悲悯没有不真诚的。所以说：天地出于同一根源，世上万物都是一个整体，这就是我们所说的一视同仁。

【赏析】

齐桓公灭亡郭国后，问当地人郭国为何灭亡。当地人说："郭君善善恶恶。"齐桓公说："这是贤君呀！"当地人回答说："善人知道郭君看重自己却不能被任用，因此抱怨他；恶人不能被铲除，又知道郭君对自己不友好，因此仇恨他。"善待善良，厌恶邪恶，并不能让民众满意，因为这是把个人感情加于民众身上，难免不公，未能服众。要让民众普遍得到仁政的光辉，就要付出真心，把民众的想法当作自己的想法，把民众的利益当作自己的利益。关心每一个人，和他们同心同德，才能万众一心。

---

① 善善恶（wù）恶：称赞善事，憎恶坏事。

② 慈善悲恶：对善良的人仁慈，对邪恶的人悲悯。

③ 同仁：一视同仁。

一三〇

有一乐境界，就有一不乐的相对待[①]；有一好光景，就有一不好的相乘除[②]。只是寻常家饭，素位[③]风光，才是个安乐窝巢。

【翻译】

有一种快乐的境界，就有一种不快乐的相对应；有一处好光景，就有一处不好的相抵消。只有家常便饭，本分生活，才是安乐所在。

【赏析】

许多人喜欢追求极致的生活，殊不知有一得必有一失。“世人都晓神仙好，惟有功名忘不了”，想过神仙般无忧无虑的生活，就要忘掉尘世的快乐。想要享受成功的喜悦，必有奋斗的艰辛。想要眼睛看到天堂般的风光，身体必先历经地狱般的磨难。想要得到权势富贵，就要卑躬屈膝任人驱使。因此，真正的安乐，是不慕繁华，但求平淡，不求卓越，但得安稳。庄子说：“知不可奈何而安之若命，唯有德者能之。”不悲不喜，不争不躁，过平常的日子，享受平淡的时光，才是真正的智慧人生。

---

① 对待：对应。

② 乘除：抵消。

③ 素位：现在所处的地位。指恪守本分。

一三一

心地[①]上无风涛，随在[②]皆青山绿树；性天[③]中有化育[④]，触处都鱼跃鸢飞[⑤]。

【翻译】

内心里没有风浪波涛，随处都是青山绿树；天性中有滋养哺育，到处都是鱼跃鸢飞。

【赏析】

青山绿树远离人境，是宁静平和所在。但境由心造，如果内心波澜不惊，即使身处喧嚣之中，也能感受到青山绿树的佳境。相反，如果内心烦躁不安，即便在万籁俱寂的夜晚，也会听到刺耳的噪音。修养之道，在于静心，只有排除杂念，心静如水，才能适意自在。心性通则万物通，内心仁爱，处处可见生机。

一三二

狐眠败砌[⑥]，兔走荒台，尽是当年歌舞之地；露冷黄

---

① 心地：指人的内心。

② 随在：随处、随地。

③ 性天：即天性，人得之于自然的本性。

④ 化育：滋养、养育。

⑤ 鱼跃鸢（yuān）飞：意思是鱼在水里游，鹰在天上飞。这里指万物各得其所，生机盎然。

⑥ 砌：台阶。

花[1]，烟迷衰草，悉属旧时争战之场。盛衰何常，强弱安在，念此令人心灰。

【翻译】

狐狸睡在破败的台阶之上，野兔出没在荒废的楼台，这里当年都是歌舞热闹场所；菊花上凝结着寒冷的冰霜，衰败的枯草笼罩在烟雾之中，这里过去都是争战的地方。兴盛和衰败难以长久，强盛弱小又在哪里，想到这里令人心灰意冷。

【赏析】

“吴宫花草埋幽径，晋代衣冠成古丘。”沧海桑田，世事无常，繁华不再，人事已非。《红楼梦》中“陋室空堂，当年笏满床；衰草枯杨，曾为歌舞场”更是写尽“到头来都是为他人作嫁衣裳”的无奈和悲凉。人生如梦，所有的欢乐、奢华、荣耀、威权都不过虚影幻梦，曾经的英雄豪杰都化为黄土尘埃。《诗》云：“蜉蝣之羽，衣裳楚楚。心之忧矣，于我归处。”蜉蝣的外衣鲜艳夺目，但生命短暂，承载不了忧伤的人生。人们在世事变迁中随波逐流，无力回天，亦无力把握个人的命运。因此就不要像蜉蝣一样在意华而不实的外表，为名利富贵摧眉折腰。不如活在当下，随性自适，享受天地自然的无穷馈赠。

① 黄花：菊花。

一三三

宠辱不惊，闲看庭前花开花落；去留[1]无意，漫[2]随天外云卷云舒。

【翻译】

荣宠和屈辱都不动心，闲适地观赏庭前花儿开放又凋谢；退隐或留任都不在意，任凭天边的云朵翻卷舒展。

【赏析】

文人伤春，看见花开欣喜若狂，想到花落则满怀伤感，感叹时光易逝，身世飘零。其实花开花落不过是植物的生命周期，自然而来，自然而去，不会因观赏人的心情而改变。淡泊之人看开世事，以闲适之心观察，荣宠如花开，屈辱如花落，都是风物景致，无涉悲喜。天边云卷云舒，就像人生聚散离合，本是生活常态，何不听凭自然？

人生起落，宦海沉浮，很多时候不是个人能够左右的，所以要保持良好的心态，淡然处之。进则忧国忧民，退则逍遥自在。能屈能伸，不恋权势，不贪富贵，不虑得失，人生则到处和风丽日。

一三四

晴空朗月，何天不可翱翔，而飞蛾独投夜烛；清泉绿

① 去留：指归隐和做官。
② 漫：随意、任凭。

竹，何物不可饮啄，而鸱鸮[1]偏嗜[2]腐鼠。噫！世之不为飞蛾鸱鸮者，几何人哉！

【翻译】

晴朗的天空，明亮的月亮，何处不能翱翔，但飞蛾却独独飞向黑夜里的烛火；清澈的泉水，翠绿的竹子，什么东西不能饮用啄食，但鸱鸮偏偏喜欢腐烂的老鼠。唉！世上不像飞蛾、鸱鸮的人，能有几个呢！

【赏析】

月光比烛火更皎洁，飞蛾却弃明而投暗；翠竹比腐鼠更鲜嫩，鸱鸮却好丑而恶美。飞蛾、鸱鸮无知，而世上不少人却像飞蛾、鸱鸮一样愚蠢。光明平坦的大道不走，偏偏选择险恶崎岖的邪道；舒适惬意的生活不过，偏偏为蝇头小利寡廉鲜耻；明明可以自由潇洒，偏偏甘心为权势名利所奴役；明明可以纯净高洁，偏偏深陷世俗泥淖而不能自拔。更可怕的是，世人愚不可及却自以为聪明，在毫无意义的事情上争夺不休。

一三五

游鱼不知海，飞鸟不知空，凡民不知道[3]。是以善体[4]

---

① 鸱鸮（chī xiāo）：猫头鹰。

② 嗜：爱好。

③ 知道：通晓“道”，即自然万物运行法则或人生哲理。

④ 体：领悟。

道者，身若鱼鸟，心若海空，庶乎[①]近焉。

【翻译】

游鱼不知道大海，飞鸟不知道天空，平凡的民众不知道“道”。所以善于领悟“道”的人，若能身体像游鱼飞鸟，心灵像大海天空，就差不多接近“道”了。

【赏析】

大海和天空辽阔无比，游鱼和飞鸟从来没有见过它们的边界，反而忽视了大海和天空的存在。老百姓遵循“道”的规律过着平凡的生活，却不知“道”的存在，因此只能浑浑噩噩。只有少数善于学习、充满智慧的人能够领悟“道”。他们对天地自然的法则了然于胸，处理任何事情都像庖丁解牛一样得心应手、游刃有余。可见“道”是自由的根本，得道者，心灵博大宽广，像大海和天空；身体灵动敏捷，像游鱼和飞鸟。海阔凭鱼跃，天高任鸟飞，世界之大，任我挥洒自如。

一三六

真空不空，执相[②]非真，破相[③]亦非真。问世尊[④]如何发

---

① 庶乎：几乎，差不多。

② 执相：执着于相。佛教把可以分别认识的一切现象叫作相。

③ 破相：谓破除一切妄相而直显性体。

④ 世尊：这里指释迦牟尼。

付[1]？在世出世，徇欲[2]是苦，绝欲亦是苦，听吾侪[3]善自修持[4]。

【翻译】

真正的“空”不是没有，执着于相不能得到本真，破除妄相也不能得到本真。问佛祖该怎样做？入世或者出世，顺从欲望痛苦，断绝欲望也痛苦，只好任凭我辈善自修持了。

【赏析】

佛学博大精深，其中一个基本观点就是不可执念，要学会辩证地看问题。比如所谓“空”，指人世无常，事物总是在变化之中，没有什么是永恒的。但用绝对化的态度看待这种变化，又会陷入虚无的泥淖，否定了“色”，即有形物质的存在。哲学中有一个著名的命题，河流在不断变化，所以人不能两次踏进同一条河流。后来有人将这种变化绝对化，提出人甚至不能一次踏进同一条河流，走进了偏执的死胡同。对于出世入世也不可过于偏执，要淡泊欲望，不可追求流俗，并不意味着要与世隔绝，也不必彻底断绝任何欲念。清心寡欲就是顺从自然，物我两忘，偏执任何一方都会导致痛苦。

---

① 发付：打发、发落。

② 徇欲：顺从欲望。

③ 吾侪（chái）：我辈，我们这类人。

④ 修持：修行持戒。佛教徒依佛法修正自己因妄念而产生的种种错误，按照戒律的规定行持。

一三七

烈士[1]让千乘[2]，贪夫争一文，人品星渊[3]也，而好名不殊[4]好利；天子营家国，乞人号饔飧[5]，位分霄壤也，而焦思何异焦声？

【翻译】

有志向的人谦让千乘之国，贪婪的人争抢一文小钱，人品虽有天地之别，但喜好名声与喜好金钱并没有本质区别；天子经营国家，乞丐呼号要饭，身份地位虽有天壤之别，但思虑的烦躁与呼号的烦躁有什么区别呢？

【赏析】

许由是帝尧时著名隐士，帝尧想把帝位传给他，还想让他做“九州长”。许由感觉受到侮辱，跑到颍水边清洗耳朵。巢父正在那里放牛，讽刺许由说：“这都是你招摇名声惹的麻烦，别弄脏了颍水，玷污了牛的嘴。”巢父认为，许由招摇名声，与做官一样都是功利行为，不是真隐士。古人经常把“名”“利”相提并论，因为名声可以成为谋取利益的工具。天子处于社会的最高层，乞丐处于最下层，他们都需要操心

---

① 烈士：有抱负，志向高远的人。

② 千乘（shèng）：古代用四匹马拉一辆兵车叫一乘，诸侯国的大小以兵车的多少来衡量。

③ 星渊：比喻差别很大。

④ 殊：不同、差异。

⑤ 饔飧（yōng sūn）：饭食。饔，早饭；飧，晚饭。

焦虑，天子所忍受的痛苦并不比乞丐小。

一三八

见外境[1]而迷者，继踵[2]竞进，居怨府[3]，蹈畏途[4]，触祸机，懵然不知；见内境而悟者，拂衣[5]独往，跻寿域，栖天真，养太和[6]，翛然[7]自得。高卑夐绝[8]，何啻[9]霄壤。

【翻译】

见到外界事物就受迷惑的人，拥挤着竞相进入仕途，生活在众怨聚集的地方，行走在险恶可怕的道路上，接触着招致灾祸的机关，糊里糊涂全然不知；见到内心境界而觉悟的人，甩甩衣袖独自归隐，跻身在长寿者行列，栖养天然本真，保养精神元气，无拘无束怡然自得。二者高下相差甚远，何止天壤之别。

【赏析】

不修养身心的人，内心没有主见，见到外界事物就随波逐流，奔波号啕于滚滚红尘之中，纠结于恩恩怨怨，争执于

---

① 外境：指外界事物，相对于内心而言。
② 继踵（zhǒng）：相继，一个接着一个。比喻拥挤。
③ 怨府：众怨归聚之所。
④ 畏途：险恶可怕的路径。
⑤ 拂衣：甩动衣袖。指归隐。
⑥ 太和：人的精神、元气，也指平和的心理状态。
⑦ 翛（xiāo）然：形容无拘无束、自由自在的样子。
⑧ 高卑夐（xiòng）绝：高低相差很远。夐，远。
⑨ 何啻（chì）：以反问的语气表示不止。

名利财富，随时可能招致灾祸。修身养性之人，在俗世的尘嚣中保持清醒的头脑，不被物欲所羁绊，追求生命本真，领悟人生真谛。这样的人自然超脱。身居高位的人，不一定安全；处身富贵的人，不一定快乐；声名显赫的人，不一定轻松；聪明机巧的人，不一定健康。有得必有失，得到外物，失去本性，是人生最大的损失；得到天真，失去牵绊，是人生最大的收获。

一三九

性天澄彻，即饥餐渴饮，无非康济[①]身心；心地沉迷，纵演偈[②]谈禅，总是播弄精魄[③]。

【翻译】

天性澄澈通透，即使饥饿吃饭口渴喝水，不过是保养身心；内心沉沦迷惑，纵然演说佛法谈论禅理，也只是摆弄精神魂魄。

【赏析】

决定人境界高低的不是外在表象，而是内在思想。有些人坐拥亿万家产，不一定比一箪食一瓢饮的贫者精神更富有。有些人走遍千山万水，不一定比守着二亩菊田的隐士更有远见。有些人阅尽春色，不一定比守着糟糠之妻的人更深情。

① 康济：保养。
② 演偈：演说佛法。
③ 播弄精魄：摆弄精神魂魄。

有些人学富五车，不一定比樵夫渔父更懂得情调。那些遁入空门的人，如果内心不能超脱世俗，挣脱牵绊，摆脱欲望，诵经讲禅也不过是做做样子，无益于身心。如果天性澄澈，本性清明，即使生活在俗世，像普通人一样饥餐渴饮，忙碌营生，也照样可以洞察天地玄机，摆脱身心的焦虑和困顿，做一个自由的旷达之士。

一四〇

人心有真境[①]，非丝非竹[②]而自恬愉，不烟不茗[③]而自清芬。须念净境空，虑忘形释，才得以游衍[④]其中。

【翻译】

内心有理想境界，没有丝竹管弦自己却能闲适、愉悦，没有熏香茶饮也自有清新芬芳。必须心念纯净意境空灵，忘却思虑解脱形体，才能够在理想境界中肆意游乐。

【赏析】

人人都向往一种境界：没有烦恼没有忧伤，只有恬淡闲适、愉悦快乐。为了达到这种境界，有些人疯狂地追求物质享受，在穷奢极欲、纸醉金迷中不能自拔。短暂的快乐之后，

---

① 真境：此处指理想境界。
② 非丝非竹：丝指弦乐，竹指管乐。
③ 不烟不茗：烟指熏香，茗指茶饮。
④ 游衍：肆意游乐。

是无言的悲凉和更深邃的痛苦。还有些人攫取虚名，在声名荣耀中沾沾自喜、得意忘形，烟花冷寂之后，是深深的落寞和更为凄冷的空虚。更有些人靠诗文打发时光，自以为高雅，实际上只能掩盖精神的贫瘠和心灵的饥渴。那么，真正的“仙境”在哪里？不在于形式的点缀，不在于物质的铺陈，不在于名声的映衬，只要内心纯净、空灵、忘我，就能获得身心自由，抵达心中的仙境。

一四一

缠脱只在自心，心了则屠肆[①]糟糠[②]居然净土。不然，纵一琴一鹤、一花一竹，嗜好虽清，魔障终在。语云：“能休[③]尘境为真境，未了僧家是俗家。”

【翻译】

缠绕或者摆脱只在自己的内心，内心了悟那么肉市酒店也是纯净的场所。否则，纵然有一琴一鹤，一花一竹，嗜好虽然清雅，魔障始终存在。俗话说：“能够摆脱功利尘世也是理想的境地，没有了却尘缘的出家人也是世俗之人。”

【赏析】

超脱世俗是为了实现人格独立，追求思想自由，保持心

---

① 屠肆：屠宰场、肉市。
② 糟糠：指酒糟、米糠等粗劣食物。这里指饭店酒肆等人群密集的地方。
③ 休：指停止追名逐利。

性纯洁。有些人身在红尘，心有净土。有些人徒有隐逸之名，而无超脱之心，富贵、权势的魔障犹在，可谓隐逸的世俗人，出家的尘世客。宋代种放隐居终南山，结草为庐，品酒抚琴。后朝廷邀其做官。种放说：“本无心官场，但皇帝礼贤下士，就不好推辞了。”其依附求进之心昭然若揭。他半官半隐，逐渐积累了很多财富，开始钟鸣鼎食，衣着华丽，过起奢靡的生活。他甚至在长安附近广置良田，强买强卖，横行不法。虽然仍经常入深山“修行”，但已然与恶霸豪绅无异。清代蒋士铨诗云：“翩然一只云间鹤，飞来飞去宰相衙。”讽刺的就是身了而心未了之人。

一四二

以我转物[①]者，得固不喜，失亦不忧，天地尽属逍遥；以物役我[②]者，逆固生憎，顺亦生爱，一毫便生缠缚[③]。

【翻译】

我追求外物，得到不欣喜，失去也不忧伤，天地都是逍遥之处；我被物质所奴役，逆境中心生憎恨，顺境中也心生喜爱，一点小事就能使身心受到束缚困扰。

【赏析】

人享有万物是为了生活，生活却不是为了享有万物。犹

① 转物：用心念调控外物，此处指追逐外物。

② 以物役我：我被物质所奴役。

③ 缠缚：束缚困扰。

如食物，无论齑粥藜羹、秕谷糟糠，还是山珍海味、珍馐佳肴，都是为了填饱肚子，其作用并无区别，没有必要为之欣喜或者悲伤。这就是“以我转物”。饭饱之后，可以遵从自己的心愿，寻求更有意义的生活，从事更有价值的活动。如果把钟鸣鼎食当作人生追求的目标，为此放弃自己的喜好，卑躬屈膝，劳心苦力，就是“以物役我”。自己被外物牵制，得到了固然可喜，拂意时满怀憎恨，悲喜憎爱，烦恼丛生，离人生的幸福越来越远。

一四三

试思未生之前有何象貌[①]，又思既死之后有何景色，则万念灰冷，一性寂然[②]，自可超物外而游象先[③]。

【翻译】

试着想想出生之前是什么情形，再想想死后是什么景象，这样所有的欲念都沉寂冷却，本性变得宁静澄清，自然能够超然于现实之外，遨游于世界本始状态之中。

【赏析】

人出生之前，与这个世界没有任何关系，死亡之后，与这个世界也不再有任何关系。只有生活于现实世界中时，衣

---

① 象貌：情形。
② 一性寂然：本性宁静澄清。
③ 游象先：游历于万物未出现之前。

食住行，玩购游乐，使人产生许多非分之想。其实，人生短暂，就像上天暂时寄存在现实世界的物品，是要如期返回的邮件。路途上的花花世界拿不走，带不去。不如少些贪念，摆脱虚名假利的羁绊，多些超逸洒脱的心态，尽情沐浴阳光，观赏美景，享受人生快乐的旅行。所谓了悟，先要悟透生死，然后悟透人性，再悟透人情世俗，物我因缘。

一四四

优人[①]傅粉调朱[②]，效妍丑于毫端[③]。俄而歌残场罢，妍丑何存？弈者争先竞后，较雌雄[④]于指下。俄而局散子收，雌雄安在？

【翻译】

唱戏的人调脂研粉，用笔端勾画美丑。一会儿歌舞结束，戏场散去，美丑哪里还存在？下棋的人争先恐后，用手指较量胜负。一会儿棋局结束，棋子收起，胜负又在哪里？

【赏析】

人生如戏，世事如棋。每个人都扮演着属于自己的角色，掌管着心中的攻守杀伐。美丑善恶，都是剧中的标签；输赢

① 优人：古代以乐舞、戏谑为业的艺人。此处指戏子。
② 朱：朱砂，古代用于化妆的颜料。
③ 毫端：化妆用的画笔末端。犹言笔下。
④ 雌雄：胜负。

成败，都是棋中的结局。然而，生命倏忽而逝，剧场马上曲终人散，棋局俄而“雨散云收”，剧中的悲欢离合、棋中的荣辱起伏，又有什么意义呢？掌上千秋史，也是一部戏，多少英雄豪杰、王公贵胄粉墨登场，又黯然离去，转眼新人换旧人。这里强调的是人生的虚无，无非是劝告人们活在当下，淡泊名利，摆脱牵绊，做自己生命的主人而不是饰演别人的角色。

一四五

人生祸区福境，皆念想造成。故释氏云：利欲炽然，即是火坑；贪爱沉溺，便为苦海。一念清净，烈焰成池；一念惊觉，航登彼岸[1]。念头稍异，境界顿殊。可不慎哉！

【翻译】

人生处于灾祸区域还是幸福境界，都由念想造成。所以释迦牟尼说：追求名利的欲望炽热，就会掉入火坑；贪图享乐的愿望太沉迷，就会掉入苦海。一个念头清新纯净，烈火会变成一池清水；一个念头警醒觉悟，便航行登陆到理想的彼岸。念头稍有不同，境界大相径庭。怎么可以不谨慎呢！

【赏析】

人生祸福，很多时候由一念而成。这一念，若是利欲、

---

① 彼岸：佛家以有生有死的境界为“此岸”，超脱生死，即涅槃的境界为“彼岸”。

贪爱，便导人入火坑苦海。孟浩然是盛唐很有成就的诗人。他前半生追求功名富贵，多方干谒，希求入仕。进士落第后，写诗发牢骚，有“不才明主弃，多病故人疏”的诗句。后来，孟浩然无意之中得遇唐玄宗。唐玄宗求诗，孟浩然不假思索吟诵出这两句。玄宗大怒，认为诗句有责备朝廷之意。这件事导致孟浩然终生不仕。如若孟浩然功名之心不是太炽，就不会有这样的怨悱之言，也不会向皇帝献咏此诗。这便是利欲炽然惹的祸。后来，孟浩然断绝仕进之心，一心归隐，成为唐代山水田园诗的扛鼎之人，这又是一念清净，烈焰成池。

一四六

绳锯材断[①]，水滴石穿，学道者须要努索[②]；水到渠成，瓜熟蒂落，得道者一任天机。

【翻译】

绳子能把木头锯断，水滴能把石头滴穿，学道的人一定要努力求索；水到的地方自然形成河渠，瓜熟的时候瓜蒂自然脱落，得道的人全凭天机。

【赏析】

学道在于勤奋，悟道在于天赋。勤奋是水，天赋是渠，

① 绳锯材断：用绳子能把木头锯断。比喻力量虽小，只要持之以恒，也能取得成功。

② 努索：努力求索。

水到则渠成。勤奋是瓜，天赋是蒂，瓜熟则蒂落。苏秦早年学习济世安邦之术，遍游各国，却处处碰壁，狼狈而归。苏秦认为自己学艺不精，于是闭门不出，深入钻研典籍。他焚膏继晷，彻夜苦读。每逢昏昏欲睡之时，就用铁锥刺大腿，用疼痛驱散睡意，有时血一直流到脚面。一年之后，他终于学成，提出合纵之术，受到燕、赵等国青睐，继而佩六国相印，名震天下。苏秦刻苦学习坚持不懈，可谓绳锯材断，水滴石穿；再次出山，已是水到渠成，瓜熟蒂落。

一四七

就一身了[1]一身者，方能以万物付[2]万物；还天下于天下者，方能出世间于世间。

【翻译】

就自身了悟自身的人，才能将万物托付给万物；将天下交给天下的人，才能在尘世中超脱尘世。

【赏析】

只有了悟自身，才能让世间万物各自归位，而不是越俎代庖，事必躬亲，为天下事烦心。道家提倡“无为”，主张天下事由天下人管理，统治者不要把手伸得太长、管得太多。“天下事，了犹未了，何妨以不了了之。”天下烦心事总是没

① 了：了悟、明了。
② 付：托付。

完没了，最好的了结方法就是放下不管。春秋时，一个杞国人总是担心天塌下来，地崩裂开，为此寝食不安。世人嘲笑杞人自寻烦恼，殊不知自己也同杞人一样，只不过所忧虑的事情不同罢了。

一四八

人生原是傀儡[①]，只要把柄在手，一线不乱，卷舒自由，行止在我，一毫不受他人提掇[②]，便超此场中矣。

【翻译】

人生原本是一场木偶戏，只要机关手柄在自己手中，一根线也不紊乱，卷曲舒张自由，行动或停止由自己掌握，一点不受他人制约，就从这场游戏中超脱出来了。

【赏析】

人生就像一出戏，戏中的角色要自己支配。正如木偶，如果把柄落在别人手中，收放行止就身不由己。这把柄，是权势，是物欲，是情爱，是声誉。庄子学识渊博，楚王派使者聘请他做相国。庄子说："牛被喂养几年，然后给它披上绸缎，吃着好料，牵到太庙当祭品。到那个时候，它想做个没人看管的小猪，可能吗？我宁愿在泥塘里快乐地玩耍，不愿受国君的束缚。"庄子认为即使做相国，也会被国君支配，不

---

① 傀儡：即木偶。表演时，艺人用线牵引木偶表演动作。
② 提掇（duō）：提拉，这里指制约。

如在江湖之中快活逍遥。能够看淡世俗中的各种诱惑，挣脱牵绊，在人生的这场游戏中已经脱颖而出了。

一四九

陆鱼不忘濡沫[①]，笼鸟不忘理翰[②]，以其失常思返也。人失常而不思返，是鱼鸟之不若[③]也。

【翻译】

陆地上的鱼儿用唾液湿润对方，关闭在笼中的鸟儿不忘记梳理羽毛，因为它们虽然离开正常环境但是还想着回到原来的地方。人们失去正常生活但不知返回，还不如鱼鸟呀。

【赏析】

泉水干涸，鱼儿在沙滩上面临死亡的威胁，它们用唾液湿润对方。鸟儿被关在笼子里，还不忘整理羽毛。鱼儿、鸟儿在失去自由时，还保持着生命的尊严，期待着回到自然状态。面临死亡不足惜，热爱生命犹可怜。然而，很多人还不如沙滩上的鱼、笼中的鸟，虽处于危险境地，仍不知反省，不思悔改，仍然侥幸地希望得到命运的垂青。殊不知，人若不知警醒错误，即使头脑聪慧，洞若观火，同样会身陷迷途。

---

① 濡沫：用唾沫来湿润，比喻同处困境，相互救助。
② 理翰：指鸟用嘴梳理羽毛。
③ 不若：不如。

一五〇

“为鼠常留饭，怜蛾不点灯”，古人此点念头，是吾一点生生之机[①]，无此即所谓土木形骸[②]而已。

【翻译】

“为老鼠经常留些饭菜，可怜飞蛾所以不点燃灯火”，古人有这样一点善念，是我们生生不息的活力，没有这点善念，就是我们所说的徒有躯壳而已。

【赏析】

人类站在自己的角度，将生物分为有益的与有害的。但如果站在整个生物族群的角度看，无论哪一种动物，都是生物链中的一环，都有存在的意义，不可盲目排斥消灭。从佛教的角度来看，众生平等，即使老鼠、飞蛾这些令人生厌的动物，也有它们生存的尊严，应该受到保护。

一五一

世态有炎凉，而我无嗔[③]喜；世味有浓淡，而我无欣厌。一毫不落世情窠臼[④]，便是一在世出世法也。

---

① 生生之机：指万物生长的活力。

② 土木形骸：像泥土和树木一样没有灵魂。

③ 嗔：怒，生气。

④ 窠臼：现成格式，老套路。

【翻译】

俗世的情态有热有冷，但我不生气也不欢喜；俗世的滋味有浓有淡，但我没有欣喜也没有厌恶。一点不落入人情世故的套路，这是虽然身处世俗但能超脱世俗的办法。

【赏析】

所谓超脱世俗，通常指淡泊世事，不怒不喜。其实，人的七情六欲，皆是对世态炎凉的主观反映，都是俗世之因果。因为有嗔怒喜悦，所以有爱恨情仇，因为有偏好冷漠，所以有钦慕厌倦。喜形于色，怒发冲冠，都是世人处事之常态。但出世之人，惯看风月，心无芥蒂，所有的悲喜爱憎，都如南山之云，聚散随意，如青萍之风，来去从容。包容万物，怎会不舒卷自如，收放从容？

图书在版编目(CIP)数据

菜根谭/(明)洪应明著;郭瑞祥注译赏析. —长沙:岳麓书社,2020.1
(小品雅集)
ISBN 978-7-5538-1121-5

Ⅰ.①菜… Ⅱ.①洪…②郭… Ⅲ.①个人—修养—中国—明代
Ⅳ.①B825

中国版本图书馆 CIP 数据核字(2019)第 084604 号

CAI GEN TAN
菜根谭

作　　者:〔明〕洪应明
注译赏析:郭瑞祥
责任编辑:李郑龙
责任校对:舒　舍
封面设计:贺红梅

岳麓书社出版发行
地址:湖南省长沙市爱民路 47 号
直销电话:0731-88804152　0731-88885616

2020 年 1 月第 1 版第 1 次印刷
开本:889mm×1194mm　1/32
印张:10.75
字数:222 千字
ISBN 978-7-5538-1121-5
定价:39.00 元

承印:湖南众鑫印务有限公司

如有印装质量问题,请与本社印务部联系
电话:0731-88884129